L'art de concilier le travail et la vie personnelle

Catalogage avant publication de Bibliothèque et Archives nationales du Québec et Bibliothèque et Archives Canada

Deschênes, Guylaine, 1974-

    L'art de concilier le travail et la vie personnelle

    (Collection Psychologie)

    ISBN 978-2-7640-2058-6

    1. Conciliation travail-vie personnelle. 2. Budgets temps. 3. Qualité de la vie. I. Titre. II. Collection: Collection Psychologie (Éditions Québec-Livres).

HD4904.25.D47 2013   306.3'6   C2012-942635-0

Dépôt légal: 2013
Bibliothèque et Archives nationales du Québec

Pour en savoir davantage sur nos publications,
visitez notre site : **www.quebec-livres.com**

Éditeur: Jacques Simard
Conception de la couverture: Bernard Langlois
Illustration de la couverture: Thinkstock
Conception graphique: Sandra Laforest
Infographie: Claude Bergeron

Imprimé au Canada

Gouvernement du Québec – Programme de crédit d'impôt pour l'édition de livres – Gestion SODEC.

L'Éditeur bénéficie du soutien de la Société de développement des entreprises culturelles du Québec pour son programme d'édition.

Nous reconnaissons l'aide financière du gouvernement du Canada par l'entremise du Fonds du livre du Canada pour nos activités d'édition.

DISTRIBUTEURS
EXCLUSIFS:

• Pour le Canada et les États-Unis:
MESSAGERIES ADP*
2315, rue de la Province
Longueuil, Québec J4G 1G4
Tél.: (450) 640-1237
Télécopieur: (450) 674-6237
* une division du Groupe Sogides inc.,
filiale du Groupe Livre Québecor Média inc.

• Pour la France et les autres pays:
INTERFORUM editis
Immeuble Paryseine, 3, Allée de la Seine
94854 Ivry CEDEX
Tél.: 33 (0) 4 49 59 11 56/91
Télécopieur: 33 (0) 1 49 59 11 33

**Service commande France
Métropolitaine**
Tél.: 33 (0) 2 38 32 71 00
Télécopieur: 33 (0) 2 38 32 71 28
Internet: www.interforum.fr

**Service commandes Export –
DOM-TOM**
Télécopieur: 33 (0) 2 38 32 78 86
Internet: www.interforum.fr
Courriel: cdes-export@interforum.fr

• Pour la Suisse:
INTERFORUM editis SUISSE
Case postale 69 – CH 1701 Fribourg
– Suisse
Tél.: 41 (0) 26 460 80 60
Télécopieur: 41 (0) 26 460 80 68
Internet: www.interforumsuisse.ch
Courriel: office@interforumsuisse.ch

Distributeur: OLF S.A.
ZI. 3, Corminbœuf
Case postale 1061 – CH 1701 Fribourg
– Suisse

Commandes: Tél.: 41 (0) 26 467 53 33
Télécopieur: 41 (0) 26 467 54 66
Internet: www.olf.ch
Courriel: information@olf.ch

• Pour la Belgique et le Luxembourg:
INTERFORUM BENELUX S.A.
Fond Jean-Pâques, 6
B-1348 Louvain-La-Neuve
Tél.: 00 32 10 42 03 20
Télécopieur: 00 32 10 41 20 24

L'art de concilier le travail et la vie personnelle

Guylaine Deschênes

Ph. D. (psychologie)

CRHA

LES ÉDITIONS
Québec-Livres

Une société de Québecor Média

Introduction

Vous vous sentez tiraillé* par les exigences de votre emploi et par celles de votre vie personnelle et familiale? Vous avez l'impression de courir constamment, sans rien accomplir vraiment? Vous craignez de perdre votre vie à la gagner? Rassurez-vous, vous n'êtes pas seul! En effet, la plupart des gens sont insatisfaits du rythme de leur vie, mais ils n'ont aucune idée des étapes à suivre pour y changer quelque chose. Par où commencer? Ce livre est le fruit de multiples demandes dans mon entourage pour obtenir des trucs afin de se sentir mieux dans sa peau dans le tourbillon de la vie. Il se veut un guide ponctué d'humour et agréable à lire, et ses exercices rafraîchissants vous aideront à mieux équilibrer vos énergies.

Commençons par une prise de conscience positive : le fait de concilier plusieurs rôles simultanément (travailleur, conjoint, parent, bénévole, etc.) renforce le sentiment de valeur personnelle, car cela donne un sens à notre vie. Imaginez-vous n'accomplir qu'un seul rôle, n'avoir qu'un seul chapeau... La vie serait tellement monotone! À l'autre extrême cependant, des rôles trop nombreux et exigeants, des statuts précaires, des horaires atypiques ou que l'on n'a pas choisis ajoutent certainement leur part de défis, tout comme chaque changement de vie qui bouscule et remplit nos agendas comme la naissance ou l'adoption d'un enfant, le démarrage d'un projet professionnel, un retour aux études, etc. Comme il est facile de reléguer le couple au second plan et, surtout, de s'oublier soi-même dans ces circonstances! Toutefois, soyez assuré que ces défis sont surmontables si vous vous en donnez les véritables moyens.

---

* La forme masculine a été employée dans le seul but d'alléger le texte.

D'après mon expérience, le succès le plus complet en matière de conciliation entre la vie personnelle et la vie professionnelle relève à la fois des initiatives individuelles (dans la vie personnelle) et des initiatives organisationnelles (en collaboration avec le milieu de travail). Déjà, quelques simples changements dans votre façon d'aborder une journée de travail ou une journée de congé, et hop ! vous voilà sur la bonne voie pour une amélioration réelle de votre qualité de vie et de votre satisfaction face à celle-ci. Ces changements mènent souvent à leur tour à une meilleure santé, car il est scientifiquement démontré que le système immunitaire est renforcé par les actions que nous posons en cohérence avec nos valeurs.

Le simple fait de tenir ce livre entre vos mains signifie beaucoup : vous avez certainement un intérêt pour le mieux-être ainsi que pour la recherche d'un équilibre. Cependant, vous vous sentez peut-être déjà un peu coupable ; comment trouverez-vous le temps de lire ce bouquin parmi toutes les priorités de la vie quotidienne ? Prenez le temps, tout simplement, une page à la fois. C'est un cadeau que vous vous offrez, car vous verrez à court terme les bénéfices que vous en retirerez.

Le livre est divisé en cinq chapitres. Dans le premier, il est question d'une des plus importantes conditions pour vivre une vie harmonieuse : la connaissance de soi. Une fois cette étape franchie, je vous accompagne dans les stratégies de gestion du temps, cet éternel allié qui semble parfois nous faire défaut. Dans le troisième chapitre, nous abordons la question primordiale de l'hygiène de vie pour faire face efficacement au plus grand fléau des siècles modernes : le stress. Dans le quatrième chapitre, je vous propose des outils pour faciliter la gestion des émotions ainsi que la communication interpersonnelle. Enfin, je vous invite à élaborer votre propre plan d'action pour une vie plus satisfaisante. Les annexes vous sont offertes un peu comme une prime : vous y trouverez de nombreux outils concrets allant des petits plaisirs récompenses aux pratiques organisationnelles de conciliation, en passant par une liste assez exhaustive des tâches domestiques à effectuer ou à déléguer. De tout pour tous les goûts ! Allez-y donc à votre rythme. La lecture imagée et ponctuée d'exercices pratiques devrait vous faciliter la tâche. Étant donné que les stratégies de conciliation travail-vie personnelle sont dynamiques et évoluent au cours d'une vie, je vous suggère fortement de faire les exercices dans un cahier de notes ou un cahier de bord à l'ordinateur, de façon que les exercices restent intacts pour votre prochaine révision. Vous pourrez aussi y écrire toutes les idées qui résonnent en vous.

On entend souvent dire qu'il n'y a pas de recette miracle en matière de conciliation travail-vie personnelle. En fait, il y en a au moins une : la vôtre, celle qui convient à votre réalité actuelle, adaptée à vos ingrédients personnels et professionnels du jour. À vous l'énergie de tout faire ce qui vous chante dans le maintien d'un équilibre qui vous est propre !

Bonne lecture !

Chapitre 1

Bien se connaître : évaluation de ses besoins, valeurs, forces et limites

*« J'ai découvert d'une part que j'étais toujours là
où je voulais être si je cessais de regretter de ne
pas être là où je croyais devoir me trouver. »*

Guy Finley

Au cours de l'histoire, la façon de définir notre identité a bien évolué. Jusque dans les années 1950, les hommes se définissaient avant tout par leur travail rémunéré, c'est-à-dire par leur rôle de pourvoyeur. Les femmes, quant à elles, étaient avant tout mères et responsables des tâches domestiques. Chacun son domaine, chacun son rôle. Avec l'arrivée massive des femmes sur le marché du travail, tous doivent s'ajuster à un nouveau partage des rôles, ce qui modifie sensiblement la façon dont chacun perçoit sa propre identité. Suis-je davantage parent, conjoint, travailleur, bénévole ? Ou un complexe casse-tête de tout cela ? Lorsqu'on souhaite obtenir un meilleur équilibre dans sa vie, la première étape consiste à savoir véritablement qui on est. Sinon, comment cerner ses véritables besoins ? Pour ne pas passer à côté, il est d'abord essentiel d'examiner quelles sont nos valeurs, nos priorités, nos forces et nos habiletés. Le présent chapitre vous propose différents exercices en ce sens, car avant de penser aux solutions, il importe de vous poser les bonnes questions !

Qui suis-je vraiment?

La façon de vous définir dépend plus de votre tempérament inné que des circonstances extérieures qui vous ont vu grandir. Pour en faire la démonstration, prenons le cas (fictif, mais non moins plausible) de deux jumeaux dont le père est un criminel qui a sombré dans l'enfer de la drogue. L'un d'eux a choisi la voie du crime et s'est retrouvé en prison après avoir commis des vols sous l'emprise de stupéfiants. L'autre a étudié, a réussi en affaires, s'est marié et est père de magnifiques enfants. Lorsqu'on leur demande : «Comment êtes-vous devenus ce que vous êtes devenus?», les deux répondent : «Comment aurait-il pu en être autrement avec le père que j'ai eu?» Voilà donc la preuve qu'on prend des décisions et qu'on bâtit son existence à partir de la signification qu'on donne aux événements et à nos expériences. L'un des fils, peut-être le plus influençable, les a pris comme un modèle inévitable, et l'autre comme des leçons de vie pour des comportements à éviter à tout prix.

Votre identité, c'est, entre autres, votre façon de vous décrire aux autres par :

- vos rôles (exemple : mère) ;
- votre statut professionnel (exemple : propriétaire d'entreprise) ;
- vos qualités (exemple : serviable) ;
- votre apparence (exemple : yeux verts) ;
- vos habitudes et comportements (exemple : fumeur) ;
- vos avoirs (exemple : propriétaire d'un chalet) ;
- vos talents (exemple : bonne cuisinière) ;
- vos loisirs (exemple : karatéka) ;
- les opinions des autres (exemple : bon à rien) ;
- ce que vous n'êtes pas (exemple : ne pas avoir le pouce vert) ;
- etc.

Il est à noter que notre identité n'est pas forgée à tout jamais, elle peut se modifier un peu au gré de nos expériences. Vous pouvez approfondir la réflexion à propos de la sphère professionnelle en précisant, par exemple, si vous avez une «carrière» (axée davantage sur la réalisation de soi) ou un «emploi» (axé davantage sur le revenu). Vous pouvez aussi ajouter vos goûts, préférences, compétences, faiblesses, aversions, vulnérabilités. Un portrait réaliste de soi comporte les deux côtés de la médaille : celui dont on est fier *et* celui qu'on doit apprendre à accepter. Prenez maintenant quelques minutes pour vous décrire, en quelques lignes, comme si on vous décrivait dans un dictionnaire (ou si vous mettiez une petite annonce dans le journal pour trouver votre jumeau ou votre jumelle).

Remarquez que la plupart des éléments de votre description sont basés sur des croyances. Par exemple, vous croyez que vous êtes un bon chef parce que vos invités vous demandent souvent vos recettes et que votre entourage vous complimente régulièrement pour vos petits plats. Vous avez reçu des preuves. Mais parfois, on bâtit des croyances sans fondement : est-ce que, inversement, parce qu'on ne me demande pas mes recettes, ça signifie pour autant que je suis mauvais en cuisine ?

Certaines croyances erronées peuvent coûter cher, et ce, de différentes façons. Par exemple, sur le plan affectif, le fait de croire que nous ne méritons pas d'être aimés peut nous amener à de l'insécurité et à de la jalousie maladive. Sur le plan relationnel, le fait de croire que nous sommes meilleurs que les autres peut amener la perte d'amitiés et l'isolement. Sur le plan des finances, le fait de croire que ce qui fonctionnait par le passé fonctionnera toujours peut mener à la faillite. Sur le plan de la santé, le fait de croire que le monde est plein de dangers peut mener à l'agoraphobie, le fait de croire que l'amour des autres passe par un corps mince peut mener à l'anorexie et le fait de croire que nous sommes indispensables peut mener au cancer, par le biais d'un surcroît de stress. Alors, examinez votre définition de vous-même afin de vous assurer qu'elle est vraiment réaliste.

Voici un défi de vérification de la réalité à faire : au cours de la semaine, pour chaque élément négatif de votre identité, essayez de trouver des preuves qui mettent en doute la véracité de vos croyances. Pourquoi ? Simplement parce que c'est plus difficile de changer une patte de table qui est solide qu'une qui est sur le point de lâcher. Pour chaque croyance ébranlée par la réalité, trouvez des substituts plus dynamisants. Si, par exemple, votre description de vous-même contient la phrase : « Je suis terriblement maladroit », vous pourriez noter qu'au cours de la semaine vous n'avez rien gâché ni cassé ! Votre phrase pourrait donc devenir : « Je suis parfois un peu malhabile, mais ça fait partie de mon charme. » Voici un autre exemple. Imaginez-vous dans une salle de réunion bien remplie. Plutôt que de vous dire : « Je suis incapable de m'exprimer dans un groupe », dites-vous : « J'ai un excellent sens de l'écoute dans un groupe et je fais de très bons résumés de réunion. » Vous voyez qu'une simple reformulation allège drôlement la situation ! Alors, allez-y, à vos crayons pour modifier votre description initiale !

Les rubriques qui suivent comprennent divers exercices et réflexions pour vous aider à étoffer cette définition de vous-même.

Ma personnalité : quels sont mes traits de caractère, mes principaux talents et mes limites ?

Vous avez sans doute hérité de certains traits de caractère de vos parents, de vos grands-parents, voire des oncles et des tantes. Ceux-ci étaient peut-être visibles très tôt dans votre enfance, d'autres se sont peut-être développés au fil du temps. Maintenant que vous êtes un adulte, qu'est-ce qui vous caractérise ? Êtes-vous extraverti ou introverti ? Êtes-vous émotif ou rationnel ? Êtes-vous spontané ou organisé ?

Les personnes particulièrement consciencieuses sont prédisposées à vivre des difficultés de conciliation, car elles veulent bien faire partout.

Aussi, certains individus ont une vision de la vie très limitée, voire pessimiste, d'autres sont réalistes et d'autres encore voient toujours le beau côté des choses. C'est ainsi que sur un même chantier, si on demande à trois maçons ce qu'ils font, l'un répondra péniblement : « Je pose des pierres. » Le deuxième dira, avec un peu plus de motivation : « Je construis un mur. » Et le dernier, souriant d'enthousiasme et de fierté, s'exclamera : « Moi, je bâtis une cathédrale ! » Et vous, quel type de vie construisez-vous par votre attitude ?

Les exercices qui suivent vous aideront à dresser un portrait sommaire de votre personnalité. Faites aussi faire ce même bilan à votre partenaire de vie (ou faites-le à sa place), et vous constaterez vos forces similaires et vos aspects complémentaires. Cela vous sera certainement très utile à l'étape de la réalisation de votre plan d'action que nous aborderons au chapitre 5.

Commençons par vos forces. En effet, vous maîtrisez certainement déjà plusieurs compétences acquises dans vos expériences professionnelles, personnelles, scolaires, etc.

 Voici quelques points de départ pour situer vos forces développées et vos talents naturels. Vous devez en cocher un minimum de 5 à 10, mais le seul maximum est celui qui sera dicté par votre humilité !

- J'ai du leadership.
- Je suis organisé.
- Je suis rapide et efficace.
- Je suis consciencieux (souci du détail).
- Je suis flexible, je m'adapte facilement.
- J'ai une bonne résistance.
- Je suis créatif.
- J'ai de l'imagination.
- Je suis à l'aise avec les concepts abstraits.

- J'ai une belle voix.
- Je lis la musique.
- J'ai des connaissances, des diplômes.
- J'ai de bonnes relations interpersonnelles.
- J'ai une bonne réputation.
- J'ai une bonne intuition.
- J'écris bien.
- J'ai un bon esprit de synthèse.
- J'ai une facilité avec les chiffres (faire un budget, etc.).
- Je communique bien devant des gens.
- J'ai un bon sens de l'orientation.
- J'ai un bon sens de l'observation.
- J'ai un bon sens du service à la clientèle.
- J'ai un bon sens de l'humour.
- Je suis optimiste.
- Je suis curieux.
- J'apprends vite.
- J'ai une bonne mémoire.
- Je suis persévérant.
- Je suis à l'aise dans l'action (afflux de clients, émotions fortes, ambiances survoltées, etc.).
- Je suis habile dans les débats d'idées.
- J'ai de l'entregent.
- J'ai une bonne écoute.
- Je suis patient.
- Je comprends facilement les gens, leurs motivations.
- Je suis orienté vers les résultats.
- Je suis orienté vers les gens.
- Je cuisine bien.
- Je dessine bien.
- Je peux coudre ou réparer des vêtements.
- Je peux fabriquer ou réparer des meubles.

- Je suis humble.
- Autres : _____.

Tant au travail qu'à la maison, l'idéal est de miser sur ses forces, de les exploiter au maximum. C'est ainsi qu'on se sent heureux, qu'on exploite son potentiel et qu'on se réalise vraiment dans la vie. Donc, si vos forces sont complémentaires à celles des gens de votre entourage, utilisez-les. Par exemple, votre voisine est un cordon-bleu tandis que vous êtes capable de faire brûler des œufs à la coque. Par contre, vous savez coudre et elle, non. Pourquoi ne pas échanger les bords de pantalons de ses enfants contre une lasagne ? Elle n'aura pas à vous payer ni à se sentir redevable et sera en plus valorisée pour ses talents de cuisinière. Vive le troc ! Vive l'échange de compétences !

 Pour dresser un portrait réaliste de votre personne, vous devez aussi examiner l'envers de la médaille, soit les limites que vous possédez (ou que vous vous imposez) et les obstacles au développement de votre plein potentiel. Voici quelques éléments possibles (inspirés d'un manuel de planification de carrière de la firme André Filion & Associés).

- J'ai besoin de tout contrôler (j'ai de la difficulté à déléguer).
- J'ai de la difficulté à accepter l'autorité.
- J'ai de la difficulté à aller de l'avant (je vis dans le passé).
- J'ai de la difficulté à établir les priorités.
- J'ai de la difficulté à exprimer mes besoins.
- J'ai de la difficulté à exprimer certaines émotions.
- J'ai de la difficulté à prendre des décisions.
- J'ai de la difficulté à m'organiser.
- J'ai de la difficulté à me vendre.
- J'ai de la difficulté à travailler sous pression.
- Je ne suis pas à l'aise avec les détails.
- Je manque de confiance en moi.
- Je manque de discernement.
- Je manque de diplomatie.

- Je manque de créativité.
- Je manque d'énergie.
- Je manque d'estime de moi.
- Je manque de motivation.
- Je manque de réceptivité à la rétroaction négative, aux critiques.
- Je manque de rigueur.
- Je manque de spontanéité.
- Je fais preuve de paresse.
- Je suis trop perfectionniste.
- J'ai peur de l'échec.
- J'ai peur du succès.
- J'ai peur de prendre des risques (j'ai besoin de sécurité).
- J'ai des problèmes de concentration.
- J'ai souvent tendance à faire preuve de procrastination.
- Autres : _____.

Cette mise au point sur les différents aspects de votre personnalité peut aussi vous guider dans la recherche de stratégies de conciliation travail-vie personnelle les plus appropriées pour vous (ces diverses stratégies vous seront présentées tout au long du livre, notamment dans les chapitres 2 à 5 ainsi que dans les annexes). Par exemple, en prenant connaissance de ses tendances et de ses préférences personnelles à la suite des exercices de bilan de personnalité, une personne extravertie et spontanée pourrait réaliser que le télétravail ne lui convient pas autant qu'à son collègue plus introverti et organisé. Consulter un conseiller d'orientation ou un psychologue industriel ou organisationnel peut être indiqué à cette étape. Les périodes de transition de carrière ou de recherche d'emploi constituent le moment idéal pour faire le point sur soi. Dans l'optique d'améliorer votre capacité à concilier vie personnelle et vie professionnelle, un travail psychologique avec un professionnel compétent peut vous aider grandement à surmonter ces obstacles, avant même d'aborder les problèmes concrets et les solutions plus terre à terre (voir l'Ordre des psychologues du Québec). Tenter de vous libérer de vos blocages est une bonne idée, et vous accepter tel que vous êtes en est une autre. Choisissez l'option qui vous permet de vous sentir mieux dans votre peau. Au fond, le fait de cultiver une estime de soi inconditionnelle est la clé pour respecter vos limites et répondre à vos propres besoins. En ce sens, les rubriques qui suivent vous aideront à déterminer vos valeurs et vos besoins.

Mes valeurs : qu'est-ce qui est important pour moi ?

Avant tout changement, toute décision majeure, il est primordial de définir ce qui est important pour vous. Reprenons une image élaborée par M. Brian Dyson, un ancien haut dirigeant d'une multinationale vendant des boissons gazeuses (pour ne pas la nommer...) qui a imaginé les sphères de la vie (travail, famille, vie sociale, santé, etc.) comme autant de balles avec lesquelles nous jonglons quotidiennement. Selon lui, la balle « travail » est faite de caoutchouc. Lorsque nous l'échappons, elle rebondit automatiquement. Mais toutes les autres balles sont faites de verre. Si nous les échappons, elles sont à jamais brisées ou endommagées. Quelles sont vos balles les plus précieuses ? Que ferez-vous pour ne pas les échapper ?

Bien des gens ont des difficultés à prendre des décisions et se retrouvent devant d'importants dilemmes. Certains n'ont pas clarifié les priorités ou la compatibilité dans leur échelle de valeurs. Les valeurs sont des états, des vertus (qualités) ou des émotions qui représentent ce qui est important pour une personne, ce à quoi elle aspire. Ce sont des principes qui guident nos décisions et nos comportements. Certaines valeurs sont des fins, par exemple l'amour et la sécurité. D'autres sont des moyens, comme l'argent et la santé, qui nous permettent de vivre pleinement certaines expériences comme des voyages, des loisirs ou la générosité.

En guise de point de départ, déterminez si vous souhaitez être admiré par les autres pour des succès observables (prestige professionnel, maison cossue, voiture de l'année) ou si vous préférez vous admirer vous-même par un sentiment d'accomplissement et des relations interpersonnelles satisfaisantes avec les personnes qui sont importantes pour vous. C'est bien souvent ce qui fait la différence entre réussir dans la vie et réussir sa vie. Les réalisations personnelles, aussi petites soient-elles sur le plan social (comme faire un abat aux quilles), peuvent même transporter quelqu'un dans un état d'euphorie insoupçonné !

✎ À partir de la liste ci-dessous qui vous propose près d'une centaine de valeurs, relevez les dix principales valeurs qui pourraient contribuer à réaliser ce que vous désirez et ce que vous méritez.

- Abondance
- Acceptation
- Altruisme
- Amitié
- Amour
- Appartenance
- Apprentissage (connaissances, compétences)
- Argent
- Authenticité
- Autonomie
- Autorité
- Avancement
- Aventure
- Bien-être
- Bien-être des autres
- Bonheur
- Bonne humeur
- Calme
- Cause
- Chaleur
- Clarté
- Collaboration
- Compétition
- Conformisme
- Confort
- Contribution/faire une différence

- Courage
- Créativité
- Croissance/développement personnel
- Curiosité/découverte
- Défi
- Développement des autres
- Devoir
- Dévouement
- Discipline
- Diversité
- Efficacité
- Effort
- Égalité
- Enfants
- Engagement
- Enseignement
- Épanouissement
- Esthétisme
- Équilibre
- Excellence
- Expérimentation/ exploration
- Expertise
- Famille
- Fiabilité
- Forme physique
- Générosité
- Gratitude

- Harmonie
- Honnêteté
- Humanité
- Indulgence
- Influence
- Innovation
- Intelligence
- Intégrité
- Interdépendance
- Intimité (relation de couple)
- Joie
- Justice
- Liberté
- Loisirs
- Notoriété (être connu)
- Ordre
- Paix
- Partage
- Passion
- Patience
- Perfection
- Plaisir
- Pouvoir
- Précision
- Prestige
- Qualité de vie
- Réalisation de soi
- Reconnaissance
- Relations familiales

- Respect
- Responsabilité
- Richesse
- Risque
- Santé
- Sécurité
- Sérénité
- Service aux personnes/ relation d'aide
- Sexualité
- Solidarité
- Souplesse
- Spiritualité
- Statut social
- Succès/réussite
- Tolérance
- Travail
- Vitalité

✎ Placez maintenant ces valeurs primordiales en ordre d'importance (votre «top 10»), les «non-négociables absolus» se trouvant au début de votre liste:

• _____

• _____

• _____

• _____

• _____

• _____

• _____

• _____

• _____

ᵒ _____

Est-ce que je vis en fonction de mes valeurs?

«Toujours agir en fonction de ses valeurs» est un beau principe, parfois plus facile à dire qu'à faire... Par exemple, si votre relation de couple est une priorité, ne menacez jamais votre partenaire d'y mettre fin et ne vous demandez pas ce que la vie serait si elle se terminait. Renforcez quotidiennement ce que vous aimez chez votre partenaire et ne laissez pas les querelles envenimer votre existence. Après tout, n'est-il pas plus important d'être amoureux que d'avoir raison?

Pour savoir si vous vivez vraiment en fonction de vos valeurs, le meilleur indicateur est de rester attentif aux émotions positives: bonheur, soulagement, amour, affection, excitation, joie, appréciation, enthousiasme, détermination, sérénité, assurance, gaieté, vitalité, contribution... La clé est toujours la recherche de sentiments et d'états plaisants à travers tout ce que l'on fait. À l'inverse, chaque fois que vous ressentez un malaise ou une émotion négative, cela peut être le signal que vous venez de faire un geste ou de prendre une décision qui n'est pas en cohérence avec vos valeurs. À vous d'y voir et d'y remédier dès que possible, il n'est jamais trop tard pour bien faire.

Cependant, il arrive aussi parfois que la surutilisation d'une valeur puisse être nuisible pour soi. Par exemple, l'altruisme extrême peut amener quelqu'un à oublier ses propres besoins et à s'épuiser en aidant toujours les autres. Un autre exemple, l'esthétisme, lorsqu'il est surutilisé, peut engendrer une recherche constante pour les solutions externes d'amélioration de l'apparence (produits, chirurgies, traitements, etc.) aboutissant à une insatisfaction constante puisque la perfection n'est jamais atteinte de façon permanente. Tentez de déterminer si c'est le cas pour l'une des valeurs de votre « top 10 ». Si oui, essayez de la reformuler ou de la remplacer par une valeur moins dommageable. Par exemple, l'esthétisme pourrait être reformulé par « sentiment de dégager une image positive » (ce qui est beaucoup plus nuancé et atteignable) ou encore complètement remplacé par une autre valeur telle que « forme physique ».

Maintenant que vous avez dressé la liste des principales valeurs qui gouvernent votre vie, examinez votre échelle de valeurs pour vérifier s'il y a des incompatibilités. Par exemple, la bonne humeur et l'authenticité peuvent parfois être difficilement conciliables, de même que le devoir et la liberté ou, de façon encore plus évidente, la collaboration et la compétition. Si vous croyez que des valeurs conflictuelles pourraient engendrer des choix difficiles ou des déchirements, vous pouvez modifier votre hiérarchie de façon que ces valeurs ne se retrouvent pas ensemble dans le « top 10 ». Je vous invite aussi à comparer cette échelle avec les valeurs de votre conjoint, de vos amis, de votre milieu de travail. Des prises de conscience et des décisions importantes peuvent découler de cet examen. Ainsi, une personne pour qui l'intégrité fait partie des 10 valeurs les plus importantes pourrait décider de quitter un emploi où on lui demande de faire des gestes qui vont à l'encontre de son éthique personnelle, voire de contourner les lois en vigueur.

En ce sens, un nombre croissant de gens refusent des promotions par crainte d'un impact négatif sur leur vie personnelle (soit environ 45 % des hommes et 50 % des femmes[1]). Ainsi, la décision représente

---

1. B. H. Gottlieb, E. K. Kelloway et E. Barham, *Flexible Work Arrangements: Managing the Work-Family Boundary*, 1998.

un choix entre la vie personnelle et la carrière, choix qui devient beaucoup plus facile à faire lorsque la pondération des valeurs et des priorités a été faite avec diligence.

Tout au long de la vie, nous faisons habituellement des choix pour répondre à nos besoins et à ceux de notre entourage. En matière de besoins, connaissez-vous bien les vôtres?

Le mode d'emploi personnel : de quelle sorte de carburant ai-je besoin?

Vous êtes-vous déjà lancé sur une piste de jogging chaussé de talons hauts? Alors, pourquoi travailler autant si vous avez besoin de temps pour vos enfants, pour rénover votre maison, pour voyager, pour écrire de la poésie, pour être entraîneur de baseball ou pour prendre soin de votre mère atteinte de la maladie d'Alzheimer? Que vous soyez un jeune diplômé, un père de la génération «sandwich» (qui a la responsabilité à la fois de ses enfants et de ses parents malades ou vieillissants) ou à l'approche de la retraite, toutes les situations personnelles sont valables pour souhaiter rééquilibrer votre vie. Cependant, il n'y a pas de recettes toutes faites. Vous seul pouvez établir le plan de vie qui correspond à vos besoins actuels. Nous verrons au chapitre 5 comment bâtir ce plan personnel et le maintenir à jour périodiquement.

La première chose à faire pour obtenir un bon équilibre de vie est de déterminer ses besoins réels. Comme avec la bonne vieille pyramide de l'illustre psychologue Abraham Maslow, commençons par la base! À l'instar d'une voiture, notre corps a besoin de divers éléments pour bien fonctionner. Mais, contrairement aux véhicules, nous ne sommes pas accompagnés d'un manuel du propriétaire qui nous indique quel type de carburant injecter dans le réservoir, quelle huile est recommandée et quelles sont les étapes de l'entretien préventif. Et comme vous n'êtes pas du même modèle ni de la même année que votre voisin, les besoins précis pour chacun varient passablement. Il est toujours utile de vous informer sur les principes de base d'une bonne hygiène de vie (nous y reviendrons au chapitre 3 portant sur la gestion du stress). Cependant, le nombre d'heures de sommeil recommandé pour les adultes demeure une généralité. Pour trouver ce qui vous convient vraiment, rien de mieux que la bonne vieille méthode essais-erreurs; par exemple, ce mois-ci, je me couche une demi-heure plus tôt et je verrai l'impact sur mon niveau d'énergie. Si je vois des résultats intéressants à la suite de ces changements, je les maintiendrai dans mon style de vie. Sinon, j'essaierai autre chose le mois suivant (par exemple, me lever une demi-heure plus tôt). L'idéal est de ne tenter qu'un changement à la fois, de façon à pouvoir attribuer les effets à une cause de façon plus directe.

✎ Voici une série d'éléments à tester de façon à bien connaître vos besoins physiologiques et psychologiques et à savoir bien y répondre.

- Quelle est la durée optimale de ma nuit (6 heures, 7,5 heures, 9 heures) ?

- Ai-je besoin de faire une sieste l'après-midi ?

- À quels moments de la journée suis-je le plus productif (le matin, le soir) ?

- À quels moments de la semaine suis-je le plus productif (mardi matin, vendredi après-midi) ?

- Est-ce que je mange de 5 à 10 portions de fruits et légumes par jour ?

- Est-ce mieux pour moi de faire de l'exercice 3 fois par semaine pendant une heure ou tous les jours pendant 30 minutes, ou encore 3 fois 10 minutes par jour ?

- Ai-je besoin d'une vie sexuelle active ou occasionnelle ?

  _____

- Est-ce que je me détends mieux entre amis ou seul ?

  _____

- Est-ce que lire ou passer du temps à l'ordinateur après le travail me détend ou me nuit ?

  _____

- Est-ce que je ris souvent de bon cœur ?

  _____

- Ai-je besoin d'un gros compte en banque et d'une voiture de l'année ou puis-je me contenter de l'essentiel ?

  _____

- Est-ce que j'aime être responsable d'un travail, d'un service ou est-ce que je préfère suivre des directives ?

  _____

- Est-ce que je préfère être à l'intérieur ou à l'extérieur ?

  _____

- Ai-je besoin d'un horaire stable ou est-ce que je préfère être sur appel ou sur la route à l'occasion ?

  _____

- Ai-je besoin d'adrénaline (sensations fortes) ou de calme ?

  _____

- Ai-je besoin de m'exprimer ou d'écouter ?

  _____

Les réponses à chacune de ces questions peuvent représenter un élément de changement dans votre vie en vue d'atteindre le mieux-être. Que ce soit en modifiant votre routine quotidienne ou hebdomadaire, vos habitudes alimentaires ou votre façon de travailler, chacun de vos besoins comblés vous mènera plus loin sur la route de l'équilibre.

✎ Si vous avez trouvé difficile de répondre spontanément à certaines des questions précédentes et que vous ne pouvez les tester directement, voici un petit truc pour vous aider à vous recentrer sur vos besoins fondamentaux. Visualisez une journée idéale pour vous : comment êtes-vous habillé ? Que faites-vous ? Dans quel type d'environnement êtes-vous ? Avec qui êtes-vous ? Ramenez-vous à ce que vous aimiez faire lorsque vous étiez enfant.

_____

_____

_____

_____

_____

Au fur et à mesure que vous apprendrez à connaître vos besoins réels, il vous sera plus facile d'adopter un rythme de vie qui vous convient. Ainsi, si vous découvrez que vous êtes une personne matinale et que vous avez l'habitude de trop dormir, il est possible que le fait de vous lever une heure plus tôt pour faire de l'exercice physique le matin vous emplisse d'énergie pour le reste de la journée. Si vous constatez l'opposé, vous pourriez tenter d'obtenir un horaire flexible afin de commencer à travailler une heure plus tard car, de toute façon, vous n'êtes pas aussi productif le matin. Chaque personne est différente, respectez-vous dans vos différences. Si les deux membres du couple sont complémentaires à cet égard, tant mieux, vous pouvez vous répartir les tâches en fonction de vos rythmes biologiques. Si vous êtes deux personnes matinales, tant mieux aussi ! Et il y a de fortes chances que les enfants suivent le même style que les parents, ce qui facilite généralement les choses. Alors, bons exercices d'exploration de votre manuel du propriétaire !

À cette étape, il pourrait être important de solliciter l'opinion des personnes touchées par votre équilibre travail-vie personnelle, soit votre conjoint, vos enfants, vos parents, etc. Ils sont bien placés pour vous dire ce dont ils ont réellement besoin, ce qu'ils attendent de vous. Vous aurez peut-être des surprises en constatant que leurs attentes ne sont pas aussi difficiles à atteindre que celles que vous vous fixez vous-même ! Aussi, c'est l'occasion de déterminer certains de ces besoins qui pourraient être comblés par quelqu'un d'autre que vous (par exemple, femme de ménage, étudiant pour aide aux devoirs, infirmière à domicile, etc.).

De plus, comme le souligne Thomas d'Ansembourg dans son excellent livre *Cessez d'être gentil, soyez vrai*, il est encore plus important de reconnaître ses besoins que de les satisfaire. Alors, n'escamotez pas cette étape d'autoévaluation, elle peut être très payante ! Et n'oubliez pas que les besoins changent avec le temps. Donc, les observations que vous avez faites par le passé ne sont peut-être plus valables maintenant et méritent donc d'être testées occasionnellement (au minimum tous les deux à cinq ans).

Pour aller plus loin sur la route des besoins, considérons maintenant comment votre énergie (carburant) est utilisée : pour avancer à pleine vitesse, pour ralentir, pour arrêter, pour étouffer (touf, touf, touf)...

Mon bilan d'énergie : comment se rechargent et se vident mes piles ?

 À la lumière des réflexions obtenues aux rubriques précédentes (personnalité, valeurs et besoins), tentez de déterminer les éléments (situations, individus, activités) qui vous donnent de l'énergie et ceux qui vous en enlèvent. Tentez d'en trouver au moins cinq de chaque côté, mais il n'y a pas vraiment de maximum, puisqu'on peut découvrir ou remarquer, à différents moments de la vie, un nouvel élément à ajouter. Par exemple, les deux listes pourraient ressembler à ceci :

Éléments énergisants (positifs)	Éléments énergivores (négatifs)
Rire avec les enfants.	Discuter finances avec mon conjoint.
Obtenir un contrat.	Écouter ma collègue dépressive.
Prendre une douche fraîche.	Dégivrer le congélateur.
Me faire masser les pieds.	Faire l'épicerie avec les enfants.
Etc.	Etc.

Éléments énergisants (positifs)

Éléments énergivores (négatifs)

_____ _____
_____ _____
_____ _____
_____ _____
_____ _____
_____ _____

Il peut être assez long d'établir ces listes car, au fil des jours, vous serez davantage à l'affût de ce qui augmente et ce qui diminue votre niveau d'énergie, sans égard à la quantité de sommeil dont vous bénéficiez. Après quelque temps, une fois que les listes vous paraîtront suffisamment complètes, il s'agira de planifier régulièrement dans votre agenda, au moins une fois par jour, des éléments énergisants. En parallèle, il est important de trouver des façons de diminuer, voire d'éliminer, les éléments énergivores. Pour vous aider en ce sens, vous pourrez trouver des pistes d'action à la lecture du reste du livre, notamment dans la rubrique sur la communication exposée au chapitre 4 et celle portant sur la résolution de problèmes au chapitre 5.

Par ailleurs, au moment de planifier votre temps et d'organiser vos journées, il peut être très aidant d'alterner ou de combiner les tâches qui requièrent beaucoup d'énergie avec celles qui en donnent. Cela peut contribuer grandement à éviter le piège de l'épuisement, qui est bien souvent beaucoup plus psychique que physique. Ainsi, faire l'épicerie sans les enfants peut être très rentable en termes de temps, d'argent (ces fameuses gâteries!) et d'énergie.

Maintenant que vous avez cerné à quel client vous avez affaire (c'est-à-dire vous-même!), il est maintenant temps de procéder à une évaluation de votre situation actuelle. Cela vous aidera à savoir où se situent les éléments à modifier pour améliorer votre conciliation travail-vie personnelle.

Autoévaluation de ma situation: comment se manifestent concrètement mes difficultés?

Afin de mieux vous guider dans les chapitres suivants, il peut être utile de déterminer quel type de problème de conciliation vous vivez. Est-ce davantage votre vie professionnelle qui interfère avec votre vie personnelle, ou est-ce votre vie personnelle qui empiète sur votre vie professionnelle? Est-ce que la difficulté entre les deux sphères est plutôt basée sur un manque de temps ou sur un surcroît de tension? Avez-vous des difficultés à gérer votre temps? Est-ce que le manque d'énergie vous empêche d'être efficace? Est-ce que la culpabilité rend les choses plus difficiles? Est-ce votre désir de vouloir tout avoir et de tout réussir à la perfection? Quelle que soit la source de vos problèmes, vous allez certainement trouver des solutions ou des pistes de solution à la lecture des pages qui suivent.

 Examinez votre vie au sens large. Réfléchissez au temps disponible et à l'énergie consacrée (tant physiquement qu'émotionnellement) à chacune des sphères de votre vie (personnelle et professionnelle).

Exemple 1: le fait d'amener votre mère chez le médecin peut prendre une heure de votre temps, mais vous estimez que vous dépensez 25 % de votre énergie de la journée à penser à sa santé.

Exemple 2 : le fait d'aider aux devoirs d'un enfant en difficulté peut prendre une heure par jour, mais cela demande beaucoup plus d'énergie que de faire l'épicerie qui peut requérir plus d'une heure.

1. Indiquez, au cours d'une semaine moyenne, la proportion de votre temps qui est consacrée à la vie professionnelle : _____ %.

2. Indiquez, au cours d'une semaine moyenne, la proportion de votre temps qui est consacrée à la vie personnelle : _____ %.

3. Additionnez les deux pourcentages obtenus précédemment : _____ %.

4. Indiquez, au cours d'une semaine moyenne, la proportion de votre énergie qui est consacrée à la vie professionnelle : _____ %.

5. Indiquez, au cours d'une semaine moyenne, la proportion de votre énergie qui est consacrée à la vie personnelle : _____ %.

6. Additionnez les deux pourcentages obtenus précédemment : _____ %.

Il y a des difficultés de conciliation à l'horizon lorsque l'addition des pourcentages dépasse 100 %, soit en temps (numéro 3) ou en énergie (numéro 6).

Est-ce que vous vous sentez en surcharge de travail sur le plan quantitatif, c'est-à-dire trop de choses à faire et pas assez de temps pour les faire ? Ou alors, votre surcharge est-elle qualitative, c'est-à-dire que vous sentez ne pas avoir les compétences requises pour accomplir ce que vous avez à faire ? Un peu des deux ? Aucune des deux ? Cette analyse est importante, car, comme nous le verrons au chapitre 5, différents problèmes requièrent différentes solutions.

✎ Voici un petit questionnaire pour vous aider à y voir plus clair. Évaluez chacune des situations selon le barème suivant : 1. jamais ; 2. parfois ; 3. souvent ; 4. toujours.

1. Mon travail m'empêche de passer autant de temps que je le souhaiterais avec ma famille. ____

2. À cause des exigences de mon travail, j'ai de la difficulté à m'occuper de la maison et à accomplir mes tâches domestiques. ____

3. Après le travail, je n'ai plus d'énergie pour faire ce que je dois faire à la maison. ____

4. À la maison, je suis préoccupé par mon travail. ____

5. Je perds du temps au travail à régler des problèmes personnels. ____

6. Les exigences de ma vie personnelle m'empêchent de prendre des responsabilités supplémentaires au travail. ____

7. Je suis souvent fatigué au travail à cause de tout ce que je fais à la maison. ____

8. Au travail, je suis préoccupé par les exigences de ma vie personnelle. ____

Somme A (numéros 1 à 4) = _____
Somme B (numéros 5 à 8) = _____
Total (numéros 1 à 8 ou somme A + somme B) = _____
Somme C (numéros 1 + 2 + 5 + 6) = _____
Somme D (numéros 3 + 4 + 7 + 8) = _____

Interprétation des résultats

- Entre 8 et 11 points au total. Vous n'avez pas vraiment de difficultés significatives de conciliation (vous pouvez néanmoins agir à titre préventif grâce à ce livre, adopter des stratégies encore plus gagnantes, ou encore donner des trucs aux membres de votre entourage qui en ont davantage besoin).

- Entre 12 et 16 points au total. Vous avez de légères difficultés de conciliation et certains petits ajustements pourraient vous aider.

- Entre 16 et 20 points au total. Vous ressentez certains tiraillements et gagneriez à changer des choses dans votre vie.

- Entre 21 et 32 points au total. Lisez chaque ligne de ce livre et prenez les décisions qui s'imposent, votre santé peut en dépendre.

- Plus de points pour les numéros 1 à 4 (somme A) que 5 à 8 (somme B). Les changements devraient être axés sur votre travail.

- Plus de points pour les questions 5 à 8 (somme B) que 1 à 4 (somme A). Les changements devraient être axés sur votre vie personnelle.

- Plus de points pour les numéros 1, 2, 5 et 6 (somme C) que 3, 4, 7 et 8 (somme D). Votre gestion du temps gagnerait à être améliorée, portez davantage attention au chapitre 2.

- Plus de points pour les numéros 3, 4, 7 et 8 (somme D) que 1, 2, 5 et 6 (somme C). Votre gestion du stress et votre hygiène de vie gagneraient à être améliorées, portez davantage attention au chapitre 3.

Veuillez noter qu'il ne s'agit pas d'un questionnaire diagnostique, mais plutôt d'un outil de réflexion et d'exploration de vos besoins en matière de conciliation.

Parfois, vos difficultés peuvent être causées ou exacerbées par la situation de votre conjoint. Penchons-nous donc un instant sur cet aspect de votre vie personnelle.

Je ne suis pas seul dans ce bateau : où mon conjoint en est-il rendu ?

Si vous n'êtes pas célibataire ou chef de famille monoparentale, vos choix en matière de conciliation auront de l'impact sur au moins une autre personne, votre conjoint. C'est pourquoi il peut s'avérer approprié d'amorcer une réflexion plus systémique, c'est-à-dire qui va au-delà de votre réalité individuelle pour tenir compte du système organisé dans lequel vous évoluez, soit le couple ou la famille.

Dans le domaine de la conciliation entre les obligations professionnelles et les obligations personnelles, il existe différents modèles pour distinguer le mode de fonctionnement des couples. Sekaran et Hall (1989) rapportent quatre types de couples.

- Les accommodants : les membres du couple sont très engagés chacun dans une des deux sphères (l'exemple classique : le duo père pourvoyeur et mère au foyer) ;

- Les alliés : les deux membres du couple sont engagés dans la même sphère, mais ils se soucient peu de l'autre sphère (par exemple, deux carriéristes qui ont peu de vie personnelle ou deux personnes qui apprécient le bon temps en famille et qui passent le minimum de temps à travailler seulement pour subvenir à leurs besoins de base) ;

- Les adversaires : les deux membres du couple sont fortement engagés dans leur carrière, mais ils souhaitent que l'autre soit plus engagé à la maison ;

- Les acrobates : les deux membres du couple sont fortement engagés tant dans leur carrière que dans leur vie personnelle (individuellement, on les appelle souvent *superman* et *superwoman*).

Il y a fort à parier que les couples des deux premières catégories sont moins stressés que ceux des deux dernières. Les adversaires, quant à eux, peuvent vivre des conflits et des insatisfactions chroniques, alors que les acrobates sont plus à risque d'épuisement. Malgré ces observations, je ne porte aucun jugement. Et loin de moi l'idée de vous indiquer le modèle à suivre, car il n'y a pas de recette idéale.

Mais vous, où vous situez-vous ? Selon moi, un échange avec votre partenaire de vie est de mise à cette étape-ci et une prise de conscience sur les attentes de chacun envers l'autre peut être très bénéfique pour la suite de votre plan d'action.

Comment savoir si j'attends les bonnes choses de ma vie ?

Je suis tentée de terminer ce chapitre sur une note un peu plus spirituelle. Comme dans toute introspection, nous nous rapprochons un peu de notre âme, du sens de notre vie, de notre essence. Je vous propose donc une dernière réflexion avant d'aborder des sujets plus terre à terre.

Selon Guy Finley, voici des indicateurs de votre vie lorsque vous ne mettez l'accent que sur les aspects matériels :

- Vous êtes souvent nerveux ou anxieux parce que la vie ne vous appuie pas.

- Vous êtes disposé à tout sacrifier pour obtenir ce que vous voulez, y compris votre intégrité.

- Vous êtes toujours occupé à planifier la stratégie de votre prochaine victoire.

- Vous êtes en plein conflit, ou bien vous vous relevez du conflit précédent.

- Vous êtes incapable de vraiment vous reposer quand le besoin s'en fait sentir.

- Vous vous fâchez facilement quand quelque chose ou quelqu'un se met en travers de votre route.
- Vous désirez toujours quelque chose de plus.
- Vous vous opposez à quiconque désire la même chose que vous.
- Vous êtes convaincu d'être ce que vous possédez.
- Vous cherchez toujours à vous convaincre d'avoir obtenu ce que vous désiriez.

Voici, à l'inverse, des indicateurs de votre vie lorsque vous voulez ce que veut la vie pour vous, c'est-à-dire que vous avez confiance que la vie vous apportera ce qu'il y a de meilleur pour vous :

- Vous n'êtes jamais déçu de ce qui arrive.
- Vous vous trouvez toujours au bon endroit au bon moment.
- Vous jouissez d'une calme assurance, quelles que soient les circonstances.
- La colère et l'anxiété ne vous atteignent jamais.
- Vous êtes conscient et sensible à ce qui vous entoure.
- Vous n'avez jamais l'impression d'avoir raté quelque chose.
- Vous ne vous laissez jamais abattre par une perte.
- Vous dominez la moindre situation.
- Vous avez l'esprit tranquille.
- Vous êtes éternellement reconnaissant.

Laquelle de ces deux visions correspond le plus à votre discours intérieur ? Laquelle vous procure davantage de bien-être ? Il n'en tient qu'à vous de choisir la philosophie de vie qui sera votre source d'inspiration.

CHAPITRE 2

La gestion du temps :
l'art de s'organiser et de déléguer

*« Le plus grand imprévu est de réussir
à terminer ce qu'on avait prévu. »*

Auteur inconnu

De nos jours, ce ne sont plus les individus qui sont surchargés, mais bien les familles ! En effet, souvent, les deux conjoints travaillent et les enfants eux-mêmes ont des agendas bien garnis avec leurs études, le travail ou le bénévolat, les activités parascolaires et sociales... Bref, tout le monde court tout le temps ! De plus, l'avènement des technologies sans fil a complètement changé notre rapport au temps. À l'époque actuelle, notre relation au temps ressemble à une danse dont les pas se calculent en millisecondes. Dès qu'un courriel a été envoyé, on appelle le destinataire pour vérifier s'il l'a reçu. On est loin des messagers à cheval qui prenaient des jours et des semaines avant de rendre leur missive à destination... À l'ère de l'instantanéité, on peut aussi travailler de partout, même de son spa. Reposant, n'est-ce pas ?

Il est intéressant de constater que la façon dont on utilise notre temps relève souvent d'une question de perception. En effet, dans une étude d'Emmons *et al.* (1990), les femmes qui font carrière ont l'impression de ne pas passer assez de temps avec leurs enfants. Pourtant, leurs conjoints trouvent qu'elles en passent suffisamment ! Mais tout est relatif, encore faudrait-il demander l'avis aux enfants concernés... Toujours selon cet article scientifique sur la conciliation, les hommes rapportent qu'ils apprécieraient que leur conjointe passe moins de temps à s'activer aux tâches ménagères, et davantage de temps à se détendre. Intéressant, n'est-ce pas ? Certains ont compris que nous n'avons qu'une vie à vivre !

Par ailleurs, lorsqu'on a une contrainte de temps qui nous empêche de concilier adéquatement les responsabilités personnelles et professionnelles, pour plusieurs, c'est souvent le travail qui prend le dessus et la vie personnelle qui écope. Mais est-ce vraiment ce que nous voulons ? Nous acceptons en nous disant qu'une fois n'est pas coutume, mais lorsque la coutume est installée, il faut organiser notre temps différemment, ou encore communiquer nos besoins autrement, comme nous le verrons au cours des prochains chapitres. Pour le moment, penchons-nous sur les stratégies de gestion du temps et des priorités. Bref, nous parlerons ici pratiquement de «gestion de soi».

Quels sont mes principaux voleurs de temps ?

Près de 40 % des Québécois affirment ressentir une pression quotidienne liée au manque de temps. Quatre facteurs peuvent expliquer cette situation si répandue[2] :

- La difficulté à dire non ou à oser exprimer ses limites (voir plus loin dans ce chapitre) ;
- Une mauvaise évaluation du temps nécessaire pour accomplir une tâche par rapport au temps disponible (voir la rubrique sur l'efficacité dans ce chapitre) ;
- Une tendance à en faire trop, à être perfectionniste, à viser une qualité disproportionnée par rapport au temps qu'on peut consacrer (voir la rubrique sur la culpabilité au chapitre 4) ;
- La difficulté à se concentrer sur la tâche : manque de motivation, distractions, procrastination (voir la rubrique sur l'organisation dans ce chapitre).

Vous vous reconnaissez sûrement dans l'une ou plusieurs de ces catégories. Des pistes d'intervention vous sont recommandées pour ces problèmes d'ordre général. Mais peut-être sentez-vous aussi que votre quotidien est truffé de petits obstacles qui vous donnent l'impression

---

2. É. Marcil-Denault, *Le travail, source de questionnements*, 2003.

que les minutes s'envolent sans que vous ayez pu accomplir quelque chose. Dans ce cas, c'est la faute des chronophages ou, plus simplement, les voleurs de temps.

 Voici une liste des principaux voleurs de temps (chronophages). Établissez lesquels s'appliquent à vous, au travail comme dans la vie personnelle.

Sources externes

- Interruptions par les autres, téléphone, etc. (au moins 20 minutes s'envolent chaque fois, le temps de se replonger dans la tâche).
- Périodes d'attente (avant un rendez-vous, un service, au téléphone).
- «Réunionite aiguë» (trop de réunions, inutilement trop longues).
- Retards des autres (besoin de renforcer la ponctualité).
- Manque de communication ou manque de clarté (malentendus, messages vagues sur la boîte vocale qui obligent à jouer à la «tag téléphonique», c'est-à-dire qu'on se rappelle sans cesse mais qu'on ne règle jamais rien).
- Trop d'informations ou trop de messages inutilement trop longs (courriels, mémos, paperasse à lire, etc.).
- Trop de paliers décisionnels.
- Complexité ou défaillance des outils technologiques ou autres (serveur en panne, imprimante impossible à débloquer, lave-vaisselle défectueux, etc.).
- Procédures et processus désuets.
- Etc.

Sources internes

- Priorités mal définies, constamment révisées.
- Difficulté à prendre des décisions.
- Manque de concentration (tendance à rêvasser).
- Manque d'autodiscipline, distractions (jeux informatiques ou autres).
- Système de classement inexistant ou inadéquat (espace encombré, fouillis, piles et petits papiers partout).

- Oublis, mémoire défaillante (revenir sur ses pas, refaire deux fois la même activité, comme relire un texte parce qu'on n'avait pas souligné les points importants à la première lecture).
- Syndrome de la page blanche.
- Procrastination.
- Fatigue ou maladie (fonctionnement au ralenti).
- Etc.

Le reste du chapitre et du livre vous donnera des moyens concrets pour y remédier et récupérer une partie de ce temps «jeté par les fenêtres». D'ailleurs, savez-vous bien gérer vos priorités?

Les priorités : est-ce que je fais vraiment les choses au bon moment?

Voici un principe de base en gestion du temps, principe connu grâce aux populaires écrits de Stephen Covey. On peut classer les tâches qui nous incombent en quatre catégories, selon les critères d'importance et le degré d'urgence. Comme on peut le voir dans le modèle ci-dessous, il y a les choses importantes (haut), non importantes (bas), urgentes (gauche) et non urgentes (droite). En combinant ces deux dimensions, on obtient les quatre quadrants (catégories) suivants :

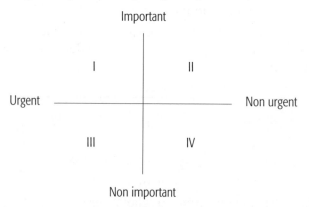

Quadrant I : crises, plaintes, problèmes pressants.
Quadrant II : planification, prévention, développement.
Quadrant III : courrier, téléphones, classement, interruptions.
Quadrant IV : échappatoires, pertes de temps, babillages.

Souvent, on passe beaucoup de temps à éteindre des feux (on se trouve donc dans le quadrant I), et après on s'occupe du quadrant III. Pourtant, chaque jour devrait comporter du temps pour le quadrant II, car on y trouve la préoccupation de soi, les relations, le repos, la planification, la prévention (la proactivité, quoi !) qui permettent d'être plus efficace dans les autres quadrants et d'être moins stressé, moins fatigué. Il faut donc apprendre à dire non à certaines choses prétendument « urgentes » (quadrant III) afin de dire oui aux choses importantes.

Lorsqu'on fait face à des urgences, les tâches du quadrant I gagnent à être accomplies immédiatement et de préférence par soi-même puisqu'elles sont jugées importantes (pour soi). Puis, pour les activités du quadrant II, l'important est de fixer un délai de réalisation réaliste. Les tâches du quadrant III gagnent à être déléguées, car elles sont moins importantes pour soi, mais elles doivent néanmoins être réalisées de façon assez rapide puisqu'elles sont jugées urgentes. Quant aux tâches du quadrant IV, elles doivent être réduites au maximum, car elles ne sont ni urgentes ni importantes.

Pour ceux qui éprouvent de la difficulté à établir leurs priorités, que ce soit au travail ou dans la vie personnelle, voici une question à se poser : « Si je pars en vacances demain matin et que je ne peux accomplir qu'une seule chose aujourd'hui avant mon départ, quelle serait-elle ? » Il est fort possible que les activités qui vous viennent d'abord à l'esprit soient les plus importantes et prioritaires pour vous.

En théorie, l'une des valeurs qui devraient guider la majorité de nos choix quotidiens est la santé. En effet, comment pensez-vous atteindre vos autres objectifs de vie sans elle ? Comment allez-vous pouvoir travailler, gagner de l'argent, voyager, vous occuper de votre famille sans la santé ? Alors, n'oubliez pas de placer l'exercice dans vos priorités. Vous verrez au chapitre suivant comment vous pouvez intégrer plusieurs activités physiques à une journée sans même ressentir une impression de perdre du temps, ainsi que comment le fait de bien manger et de bouger peut contribuer à vous faire atteindre de meilleurs résultats dans toutes les sphères de votre vie.

Enfin, en matière de priorités, l'une de celles qu'on devrait tous adopter est le respect de ses engagements. Ne promettez jamais à un enfant, à votre conjoint, à un ami, à un collègue ou à un client quelque chose que vous ne croyez pas pouvoir réaliser. Chose promise, chose faite, car c'est du domaine de l'important (quadrants I et II). C'est une question de respect et de crédibilité.

Parmi la longue liste de choses à faire dans une journée, une semaine ou un mois, nous avons abordé l'idée de déléguer certaines tâches. Mais comment réussir à déléguer sans s'arracher les cheveux ? C'est ce dont on traite dans les rubriques qui suivent.

La répartition des tâches : un peu pour soi *et* un peu pour l'entourage

Pour ceux et celles qui ne vivent pas seuls, la répartition des tâches domestiques dans le couple est essentielle. En effet, on remarque traditionnellement que les femmes sont majoritairement responsables des tâches domestiques et familiales. Selon des données de Statistique Canada (2005), les hommes québécois consacreraient environ trois heures par jour au travail non rémunéré, comparativement à quatre heures par jour pour leurs compatriotes féminines. Concrètement, de nos jours, cette disparité tend à diminuer puisque la grande majorité des hommes que j'ai croisés pendant ma pratique s'impliquent énormément dans les tâches domestiques, et plus particulièrement dans les soins aux enfants. Toutefois, même si les femmes « délèguent » à l'occasion la préparation d'un repas, l'achat de la nourriture ou un rendez-vous chez le médecin avec un enfant, il n'en demeure pas moins qu'elles entretiennent constamment la préoccupation de la planification de ces activités. Le corps a peut-être une pause pour faire autre chose, mais l'esprit de la femme, en revanche, est rarement au repos. De toute façon, peut-être que les femmes aiment bien que les choses roulent à leur façon dans la maisonnée ?

Ainsi, pour assurer une véritable répartition équitable des tâches, il n'est pas suffisant de déléguer, encore faut-il accorder une responsabilité entière à l'autre. En ce sens, l'un des deux conjoints peut être toujours responsable de la lessive, de l'épicerie ou du coucher des enfants. De cette manière, il est libre de gérer ses tâches à sa façon et il est responsable que son domaine soit bien géré et que rien ne tombe entre deux chaises. Certains comparent cette méthode à celle d'un cabinet, où chacun devient ni plus ni moins responsable d'un « ministère ». Dans le couple, on a donc un ministre des finances, un ministre de la santé, un ministre de l'alimentation, un ministre du dodo, etc. Je vous promets qu'il y aurait ainsi beaucoup moins d' « opposition » dans la communication conjugale ! De plus, il semble que les enfants réagissent très bien à ce type de répartition, car cela favorise la routine et renforce le sentiment de sécurité[3].

Il est important de garder à l'esprit que cette fameuse répartition doit être perçue comme équitable. Équitable ne veut pas dire égale. Si l'un des conjoints travaille plus que l'autre pour son emploi rémunéré, il est « normal » qu'il en fasse un peu moins à la maison. Aussi, malgré l'assignation des ministères suggérée précédemment, il est souhaitable que les deux membres du couple soient polyvalents pour faire chaque tâche de façon à prendre la relève lorsque le ministre attitré n'est pas disponible. Cela peut vouloir dire, par exemple, investir dans des sièges d'auto dans les deux voitures au cas où le parent responsable du transport à la garderie doit manquer à sa responsabilité à cause d'un imprévu (comme une réunion interminable).

Pour une gestion efficace du temps, peu importe le nombre de personnes pouvant contribuer autour de soi, l'une des premières étapes consiste à déterminer les tâches critiques à accomplir (voir l'annexe 1).

Ensuite, voici des questions à se poser :

- Est-ce que cette tâche ou responsabilité est nécessaire ou pourrait être éliminée (comme un voyage d'affaires) ?

- Est-ce que cette tâche ou responsabilité pourrait être faite différemment pour être plus efficace ou plus agréable (par exemple, des réunions plus courtes ou par téléphone, des légumes coupés en position assise en écoutant une musique qui nous plaît) ?

- Est-ce que je peux déléguer cette tâche ou responsabilité à quelqu'un qui a les habiletés, le temps et l'énergie pour l'accomplir (par exemple, en faisant un échange de services) ?

- Est-ce que je peux faire cette tâche ou responsabilité à un moment différent (par exemple, une rencontre d'affaires à l'heure du lunch

---

3. Martin Larocque, *Magazine Enfants*, mars 2006, p. 88.

au lieu d'une réunion à 16 h 30), dans un lieu différent (comme la maison, l'autobus)?

- Est-ce que je peux consacrer un moment spécifique de la journée à cette tâche ou responsabilité plutôt que de la faire toute la journée (par exemple, lire ses courriels trois fois par jour seulement, rencontrer ses employés dans une plage horaire spécifique, etc.)?

- Si je change la façon ou le moment de faire une tâche, quel impact cela aura-t-il sur les autres?

Pour chaque tâche qui doit être effectuée, indiquez qui en est responsable (membre de la famille ou spécialiste externe) et à quelle fréquence elle doit être accomplie (voir le tableau dans l'annexe 1 inspiré du livre d'Annick Vincent). Cette répartition des tâches peut être rotative (chacun son tour), stable (on garde l'expert) ou mixte (un peu des deux, selon la tâche). Il convient aussi de la réviser périodiquement, soit environ une à deux fois par année, en fonction des changements de disponibilité ou de l'évolution des capacités de chacun. Modifier ses tâches de temps en temps, ça peut aider à mousser la motivation des troupes!

Déléguer : proposez des échanges de services et amusez-vous tous!

Comme nous venons de le voir, certaines tâches peuvent être déléguées. Le fait de déléguer certaines tâches professionnelles peut contribuer au développement du personnel moins expérimenté, des étudiants et des stagiaires. La clé consiste à se trouver un remplaçant pour certaines tâches et de lui faire confiance. Ça ne sera peut-être pas fait de la même façon que si c'était fait par vous, mais au moins ce sera fait. Pour les tâches cruciales, c'est rassurant de savoir qu'on n'est pas seul à les connaître, ça peut enlever beaucoup de pression. Et pour les tâches moins importantes, c'est enfin l'occasion de s'en départir!

L'art de déléguer comporte certaines étapes :

- Définir ses attentes (notamment en ce qui a trait à l'objectif à atteindre et aux délais);
- Choisir la personne appropriée à qui déléguer;

- Faire confiance à cette personne qui choisira le moyen qui lui convient pour accomplir la tâche ;
- Faire un suivi sur les résultats et donner une rétroaction constructive à l'autre (par exemple, ce qui a été bien fait, des suggestions pour la prochaine fois, des remerciements pour les efforts, etc.).

« On n'est jamais si bien servi que par soi-même », direz-vous. C'est souvent vrai, mais parfois faux ; laissez les autres vous surprendre. « C'est moins long de le faire moi-même que de l'expliquer », rétorquez-vous encore. Peut-être, mais ça peut devenir un investissement pour le futur dans le cas des tâches qui reviennent périodiquement. Et c'est sans compter la fierté d'avoir contribué au développement de quelqu'un qui ajoute, grâce à vous, une compétence à son arc.

À la maison, il est aussi important d'inculquer tôt un bon sens des responsabilités à vos enfants. Voici des tâches que les enfants peuvent faire, en fonction de leur âge :

- 2-3 ans : aider à ranger l'épicerie, mettre son assiette sur le comptoir après le repas, essuyer un dégât sur le plancher ou sur la table, ranger ses jouets.
- 4-5 ans : nourrir un animal domestique, épousseter, mettre ses vêtements sales dans le panier à linge, plier les serviettes propres, ranger les vêtements propres dans les tiroirs.
- 6-7 ans : préparer ses collations, se laver les cheveux, faire son lit, mettre les couverts sales dans le lave-vaisselle.
- 8-9 ans : vider la sécheuse et plier les vêtements, arroser les plantes, aider à sortir les poubelles et le recyclage, ramasser les feuilles d'automne.
- 10-11 ans : passer le balai, préparer des plats simples, laver les vitres, vider le lave-vaisselle et ranger la vaisselle propre.
- 12-14 ans : faire son propre lavage et son lunch, garder ses frères et sœurs plus jeunes, laver la voiture, tondre la pelouse ou pelleter la neige dans l'entrée.
- 15-17 ans : préparer un repas par semaine, établir son propre budget, laver la salle de bain et la cuisine, entretenir la piscine, etc.

Évidemment, il ne s'agit que de suggestions basées sur le développement général des enfants. Fiez-vous à votre jugement si vous croyez que les vôtres seraient prêts plus tôt ou plus tard pour effectuer certaines corvées. Tout est une question de maturité et de personnalité. Pensez à faire faire les tâches les plus actives à vos enfants qui ont le plus d'énergie à dépenser. Si les enfants sont très jeunes ou très récalcitrants, vous pouvez transformer les tâches en jeu : on pige dans la « jarre des tâches » un papier en forme de biscuit et on l'exécute en chantant, on range les jouets en se prenant pour des robots, on invente la « danse du balai », etc. Mettez à contribution votre créativité et celle de vos enfants, les possibilités sont quasi infinies. De plus, si les horaires de chacun le permettent, vous pouvez assigner une période spécifique et une durée à respecter pour l'exécution des tâches. Ainsi, pendant 30 à 45 minutes le samedi matin, chacun s'affaire à ses tâches, puis tout le monde est libre de faire ce qu'il veut ou encore de passer du bon temps en famille !

Après avoir terminé une tâche, n'oubliez pas de remercier les membres de la famille pour leur aide, les féliciter et les récompenser à l'occasion. Pour les enfants de 8 ans et plus, ce peut être l'occasion d'introduire le concept d'argent de poche. Le montant peut être fixe, mais comporter des primes occasionnelles pour les corvées supplémentaires, particulièrement bien faites ou réalisées avant que les parents aient à les rappeler. Cela renforcera le sens des responsabilités et l'initiative des enfants, jusqu'à ce que ceux-ci deviennent vraiment plus autonomes.

Mais on le sait bien, les enfants sont souvent le reflet de leurs parents. Donc, pour espérer en faire des personnes responsables, il importe de se doter soi-même de bonnes habitudes d'organisation. La suite de ce chapitre vous propose quelques guides en ce sens.

Le leadership de soi ou la gestion de soi : l'art de planifier et de vaincre la procrastination

Avant de se lancer tête baissée dans une tâche, il est important de la planifier, c'est-à-dire de se doter d'un certain plan d'action étape par étape. L'un des secrets de la planification, c'est de prévoir plus de temps pour faire une tâche que ce qu'on avait estimé au préalable. Cela est parfois plus facile à dire qu'à faire, j'en conviens. Mais vous en tirerez quelques avantages, car en plus d'éviter le stress des imprévus, vous pourrez terminer la tâche plus rapidement que ce que vous aviez planifié, ce qui ne peut que vous réjouir, votre entourage (patron, clients, famille) et vous, et du même coup asseoir votre réputation. Cela dit, il est néanmoins recommandé de ne pas prévoir trop de temps car une tendance humaine consiste à étaler ses activités de manière à occuper tout le temps disponible (loi de Parkinson[4]). L'économie devient donc nulle.

Le matin, tentez de déterminer d'avance l'heure à laquelle vous voulez quitter le boulot. Si vous êtes capable de terminer vos tâches plus tôt, vous avez le choix de rester pour prendre de l'avance ou prendre du temps pour vous. Savoir s'arrêter, c'est sage ! Au contraire, si votre liste de choses à faire n'est pas terminée à l'heure dite, trouvez une solution pour rattraper le retard autrement qu'en restant au travail beaucoup plus tard, la productivité ne sera pas au rendez-vous de toute façon. Et si vous n'avez vraiment pas le choix de terminer plus tard, tentez de reprendre ces heures en terminant plus tôt ou en prenant une plus longue heure de lunch dans les jours suivants.

Avoir un calendrier d'organisation familiale (souvent sur le frigo) est un véritable *must* ! On pourra y noter sur une base mensuelle les rendez-vous de chacun, les cours, les congés, les tâches ménagères, les anniversaires, les repas pour les soirs de semaine, etc. Il est suggéré d'utiliser un code de couleurs avec des crayons différents soit pour chaque membre de la famille, soit pour chaque catégorie d'activité. Il est possible de faire la même chose dans son lieu de travail, avec un tableau blanc, un babillard, un calendrier ou une liste de priorités affichée bien en vue. Pour une version plus écologique du tableau magnétique, vous pouvez employer un calendrier traditionnel (en affichant un mois à la fois) ou encore imprimer sur le verso de feuilles déjà utilisées les calendriers du mois en cours et du mois suivant (voir sur Internet les pages de calendrier à télécharger gratuitement).

Aussi, le fait de dresser des listes de choses à faire, à acheter, à ne pas oublier (comme le retour des livres à la bibliothèque, la révision

---

4. M. Côté, *Maître de son temps*, 2000.

d'un rapport, etc.) permet de libérer une partie de l'esprit et de redonner une sensation de contrôle. Lorsqu'on a un *flash*-travail pendant qu'on est à la maison, le fait de se laisser un message sur sa propre boîte vocale amène le même résultat bienfaisant. L'inverse est aussi vrai pour un *flash*-vie personnelle pendant qu'on est au travail.

Il existe même un système informatisé qui permet de planifier les activités familiales de différentes natures et de communiquer efficacement les tâches et l'information entre les conjoints (même ou surtout s'ils sont séparés !). Il s'agit de l'outil Planiclik, créé par une famille d'entrepreneures québécoises.

Pour ceux qui ont des difficultés à respecter certaines échéances (comme le paiement de comptes), voici les meilleurs trucs :

- payer dès la réception ;
- faire des chèques postdatés ou des paiements anticipés (cela est possible dans des systèmes bancaires sur Internet) ;
- s'inscrire aux paiements préautorisés ;
- se programmer un rappel (sur le cellulaire, dans un logiciel de courriel de type Outlook) ;
- instaurer une routine (par exemple, tous les 1ers ou 15 du mois) ;
- insérer les comptes ou les factures (ou autres) dans son agenda ou son classeur à une date se rapprochant de l'échéance (un excellent rappel visuel).

Les rois de la procrastination croient qu'ils doivent attendre d'être motivés avant d'entreprendre une action. C'est une erreur de penser de la sorte. En effet, lorsqu'on s'efforce de se mettre en action, c'est à ce moment que la motivation s'installe tranquillement et nous donne l'énergie pour poursuivre et terminer l'action. Comme le vieil adage le dit : « L'appétit vient en mangeant. » Un autre dicton affirme qu'« on ne peut manger un éléphant que bouchée par bouchée ». Ainsi, pour éviter de procrastiner, il peut s'avérer très utile, voire essentiel, de décortiquer une tâche importante en plusieurs petites étapes plus faciles à réaliser. Pour être certain de commencer la tâche le plus rapidement possible, assurez-vous que votre premier objectif est si petit qu'il vous apparaîtrait ridicule de ne pas le réaliser rapidement. Par exemple, si vous n'avez pas le goût d'écrire le rapport qui est dû dans quatre jours, fixez-vous comme objectif pour aujourd'hui de vous asseoir à votre ordinateur, d'ouvrir votre dossier et de taper le titre du rapport. Ensuite, vous verrez bien si vous avez envie de consacrer cinq autres minutes pour écrire quelques lignes. Fixez-vous de petits objectifs réalistes, en quantité, en qualité, en temps, en échéance, c'est votre choix. Et ainsi de suite, jusqu'à ce qu'au bout du compte votre rapport soit au moins commencé. Et si vous êtes un procrastinateur chronique, n'oubliez surtout pas de vous récompenser à l'atteinte de chaque micro-objectif. À ce sujet, je vous invite à consulter la liste des petits plaisirs qui se trouve dans l'annexe 2.

Selon François Gamonnet, grand expert en gestion du temps, il est fortement suggéré d'investir davantage dans les « P » que dans les « R » :

- mieux se *préparer* pour moins *réparer* ;
- *préciser* plus pour moins *répéter* ;
- *planifier* plus pour moins *réagir* ;
- *prévenir* les urgences pour éviter qu'elles *reviennent* ;
- *proposer* des solutions plutôt que *râler* sur les problèmes.

En somme, être *proactif* plutôt que *réactif* !

Cette approche permet un gain de temps significatif et un meilleur investissement de l'énergie. En outre, cela nous rappelle l'importance de planifier des périodes libres dans sa journée ou sa semaine afin de mieux faire face aux imprévus. Mais avez-vous déjà remarqué que le terme « planification » va souvent de pair avec « organisation » ? Poursuivons donc nos stratégies pour mieux organiser notre vie.

Comment s'organiser ?

Un bon sens de l'organisation est essentiel à une saine gestion du temps. En effet, avez-vous calculé le nombre de précieuses minutes perdues chaque semaine à la recherche des fameuses clés, du cellulaire, du parapluie ? Un truc simple : ranger toujours au même endroit les objets qu'on utilise sur une base régulière. Aussi, déterminez un espace pour chaque chose, par catégories. Par exemple, tous les jeux de société au même endroit dans la maison, toutes les nappes dans la lingerie, etc. Lors de réductions, profitez-en pour faire des réserves de certains articles essentiels (par exemple, du papier hygiénique, des ampoules électriques, du dentifrice, etc.) qui se retrouveront aussi dans un lieu centralisé et facile d'accès lorsque vous en aurez besoin.

Prendre le temps de découvrir régulièrement de nouvelles façons de faire les choses peut permettre de gagner du temps précieux. Un exemple simple : le fait de modifier son horaire de lavage de façon à combiner deux tâches en même temps constitue un geste anodin qui peut faire une grande différence. Un autre exemple, vous planifiez un cours d'espagnol mais ne trouvez pas le temps de l'insérer dans votre agenda surchargé. Pourquoi ne pas utiliser un CD d'apprentissage que vous écouterez en vous rendant au travail ?

Ranger votre vie ? Rangez d'abord vos lieux de vie !

Au fur et à mesure qu'on reçoit de la paperasse ou toute documentation, il est impératif de la classer le plus rapidement possible. La même règle s'applique lorsqu'on fait du ménage dans sa voiture, son bureau ou la maison pour trier les vêtements, les jouets, etc. Quatre catégories sont suggérées :

- à jeter immédiatement (recyclage, déchiqueteuse, poubelle, foyer, etc.) ;
- à transmettre (par exemple, communiquer une information à autrui, donner à des œuvres de charité) ;
- à traiter plus tard (ranger dans un classeur où on va chercher, chaque semaine, ce qui est à faire, noter immédiatement les suivis requis dans l'agenda) ;
- à traiter immédiatement (prendre action, mettre à vendre sur Internet, conserver).

Selon certaines études, environ 50 % de ce qui empoussière notre bureau, boîte de courriel ou maison gagnerait à être éliminé. Il est recommandé de ne conserver que ce qui est utile à l'atteinte de vos objectifs, à la réalisation de votre mission de vie (voir le chapitre 5). Si le fait de jeter sur-le-champ vous rend anxieux, voici un truc : créez-vous une poubelle provisoire (un bac ou un panier) et mettez-y les documents ou articles dont vous n'êtes pas certain d'être prêt à vous débarrasser. Une fois par mois, refaites le tri de cette poubelle et éliminez définitivement ce que vous n'avez pas eu besoin d'utiliser et qui est maintenant désuet. Et si, entre-temps, vous regrettez d'avoir «jeté» quelque chose, il sera facilement récupérable.

En ce qui a trait au classement des actions reportées, voici la méthode ultra-pratique et organisée proposée par Alain Samson :

- Installez d'abord au moins 43 chemises suspendues dans un classeur. Celles-ci seront fonction des 12 mois de l'année et des 31 jours possibles dans un mois. Il est aussi recommandé d'ajouter deux ou trois autres chemises pour les projets personnels ou professionnels à plus long terme, ainsi qu'une chemise pour les dossiers «en attente» pour une durée indéterminée mais à court terme ;

- Pour faciliter le classement, placez les chemises selon la date en cours (les jours pour le mois en cours et les mois pour le reste de l'année). Par exemple, si nous sommes le 1er janvier, les chemises seront placées du 1er au 31, puis de février à janvier. Cependant, si nous sommes le 11 mai, les chemises seront alors placées ainsi : du 11 au 31, puis celle de juin, ensuite du 1 au 10 pour les chemises «jour», ensuite les chemises «mois» de juillet à mai (de l'année suivante). Vous avez saisi le principe ? N'hésitez pas à personnaliser ce concept selon ce qui vous semble le plus simple, par exemple en incluant un code de couleurs pour les jours et les mois. Ainsi, chaque jour, vous saurez rapidement quel dossier vous devez traiter dès le début de la journée, comme une inscription à une formation ou le paiement d'un compte dont la date limite approche. Et, à la fin de la journée, il suffit de vider la chemise (soit en ayant traité, éliminé ou reporté son contenu), puis de la placer à la fin de la séquence pour qu'elle soit en place pour le mois suivant.

Voici maintenant quelques idées en vrac tirées ou inspirées de livres sur l'art d'organiser son environnement de vie de façon fonctionnelle :

- Dans le garde-manger et le frigo, placer les collations à portée de la main pour chaque membre de la famille ;

- En arrivant de l'épicerie, déballer les boîtes de jus, les bouteilles d'eau, détacher les contenants de yogourt, etc., de façon à maximiser l'espace et à faciliter la tâche aux enfants qui pourront se servir seuls rapidement ;

- Installer une liste de courses sur le réfrigérateur (avec des aimants) et noter ce qui manque au fur et à mesure ;

- Planifier à l'avance les repas de la semaine. De cette façon, le premier parent (ou enfant assez âgé) qui arrive sait quoi mettre au four. Les enfants peuvent proposer chacun un repas par semaine ;

- Accrocher des paniers ou casiers au mur pour le courrier de chaque membre de la famille. Cet espace peut aussi servir pour les clés, les messages spéciaux (par exemple : «Allume le four à 350 °F à 17 h, SVP.»), etc. ;

- Ranger les vêtements par styles (par exemple : chemises à manches longues ensemble, jupes ensemble) ou par couleurs de façon à faciliter les agencements ;

- Suspendre les accessoires (chapeaux, foulards, ceintures, casquettes, etc.) sur des crochets dans le placard ;

- Réserver un sac pour ranger les articles de sport qui servent régulièrement (comme un sac pour le costume de danse ou de soccer avec une bouteille d'eau, un sac de natation pour le maillot, la serviette et les flotteurs, etc.). Vous éviterez ainsi les retards aux cours lors des départs précipités ;

- Ranger les manuels d'utilisation et les garanties d'appareils par thèmes dans un classeur accordéon ;

- Vider les poches des vêtements avant de les mettre dans le panier à linge ou avant de les mettre dans la laveuse (si ce sont les autres membres de la famille qui les mettent dans le panier) ;

- Accrocher une tringle au-dessus de la laveuse et de la sécheuse afin d'y faire sécher les articles délicats ;

- Coller un guide de nettoyage des taches à l'intérieur d'une porte d'armoire près de la buanderie ;

- Ranger les articles de bricolage, d'artisanat, d'emballages cadeaux (comme des choux) dans des sacs transparents à fermeture à glissière (garder ceux dans lesquels on achète des draps, des oreillers et certains jouets pour enfants) ou dans des petits contenants empilables ou à tiroirs en plastique ;

- Ranger les articles de la maison par zones (par exemple, zone entretien, zone bricolage, zone café, zone finances, etc.) ;

- Plier ensemble les draps, les housses et les taies d'oreiller coordonnés ;

- Faire des règles par zones (par exemple, dans la salle de jeu, on a le droit de s'exciter mais dans les chambres, on reste calme) ;

- Mettre des bacs de récupération à un ou deux endroits stratégiques dans la maison (comme la cuisine et le bureau) de façon à disposer au fur et à mesure des boîtes vides, des journaux, des magazines, du courrier lu, etc. (si vous souhaitez conserver un article, découpez-le ou numérisez-le et débarrassez-vous du reste) ;

- Prendre des photos des bricolages des enfants, c'est beaucoup plus facile à classer et à conserver que l'original. Sinon, on peut faire une brève exposition des œuvres d'art sur une corde à linge installée dans la salle de jeu.

Pour faire participer les enfants au remue-ménage, vous pouvez transformer le tout en jeu, en leur donnant une mission :

- Trouve 12 objets qui ne devraient pas être dans ta chambre, puis on va les ranger ensemble ;

- Remplis ce bac du plus possible d'objets ou de papiers à recycler en trois minutes.

Exercez-vous à penser pratique : dans la mesure du possible, choisissez des activités et des services à proximité de votre domicile (par exemple, l'école, la garderie, les cours de danse, le dentiste, le garagiste, le coiffeur, etc.). C'est bien beau vouloir ce qu'il y a de mieux pour votre famille et vous, mais si ça veut dire faire des kilomètres chaque semaine pour vous rendre et que vous stressez pour ne pas être en retard à votre cours de yoga à 30 minutes de chez vous car c'est le meilleur prof de la région, en sortirez-vous vraiment gagnant ? De plus, vous encouragerez l'économie locale.

Maintenant que vous commencez à être mieux organisé, vous pouvez commencer à vous fixer comme objectif de devenir plus efficace. Voici quelques trucs en ce sens.

L'efficacité : en faire plus en moins de temps

Selon des spécialistes de l'efficacité, il est recommandé, pour favoriser la concentration au travail ou à la maison, de respecter son rythme personnel et de créer des endroits et moments calmes (par exemple, arriver une demi-heure avant que vos collègues arrivent et que le téléphone commence à sonner). Travailler à partir de la maison une journée par semaine, pour ceux qui le peuvent, est un excellent moyen de parvenir à cette efficacité accrue par l'élimination de plusieurs sources de distraction (dans la mesure où vous n'êtes pas trop sensible à la présence du téléviseur et autres échappatoires !).

Aussi, pour éviter les interruptions, vous pouvez envoyer un message clair à votre entourage sur votre besoin de concentration en indiquant sur des petits cartons (à la manière des panneaux routiers) des phrases comme celles-ci : « SVP, ne pas déranger », « Période de concentration », « Zone de silence pour 30 minutes », etc. Ne vous gênez pas pour « fermer la porte » de votre bureau (au sens figuré, sinon au sens propre) et ne répondez pas à vos appels quelques heures par jour ou l'équivalent d'une à deux demi-journées par semaine (en rappelant et en répondant à vos courriels le jour même, dans la mesure du possible). En agissant de cette façon, environ 20 % de votre temps peut ainsi être investi dans des conditions particulièrement favorables à votre concentration.

En ce sens, pour éviter de faire perdre du temps aux autres, mentionnez clairement vos périodes de disponibilité et d'absence (par exemple, message d'accueil à jour sur la boîte vocale, accusé de réception automatique avec le courriel, etc.) et laissez-leur des messages clairs et complets. Pour ceux qui transigent avec des gens d'autres pays, n'oubliez pas de tenir compte du décalage horaire. L'efficacité passe également par la connaissance des mœurs et par les façons de faire de l'autre culture. De quoi éviter bien des détours et des malentendus !

Dans une équipe, il est possible d'organiser une rotation formelle des périodes de concentration, de façon que chacun en profite vraiment pendant que les autres prennent les appels urgents. Il est aussi possible d'organiser une courte rencontre quotidienne entre collègues afin que tous échangent l'information en même temps. Donc, plutôt que de se lever toutes les cinq secondes pour se poser une question ou s'annoncer une nouvelle, on les note et on les partage en quelques minutes tous les jours avant d'aller manger, par exemple. Le respect de ses collègues passe aussi par un contrôle du bruit (voix raisonnable au téléphone, radio en sourdine) car, pour plusieurs, les décibels sont inversement proportionnels à la productivité...

Selon Marcel Côté, il serait plus efficace de travailler seul le matin alors que la concentration est optimale et de réserver les réunions d'équipe pour l'après-midi. Par ailleurs, notez que ces suggestions sont basées sur des généralités. L'idéal est de planifier son horaire en fonction de son rythme biologique naturel que vous aurez sans doute découvert au chapitre 1. Par exemple, on place les tâches les plus exigeantes dans les moments d'efficacité optimale, et les plus faciles ou répétitives dans les périodes où on a généralement moins d'énergie.

De plus, pour travailler de façon efficace, il serait préférable de ne garder dans son champ de vision que ce qui est important et relié à la tâche. Le reste ne fait que nuire à la concentration. De plus, il est fortement recommandé d'alterner entre les tâches plus mentales et plus physiques et les périodes de travail intense et le repos, etc. Commencez par les tâches les plus difficiles, ou les plus courtes, et dégagez du temps pour ce qui est plus facile ou de plus longue haleine.

Par ailleurs, il est souvent suggéré, pour gagner du temps le matin, de préparer le plus possible des choses la veille (comme les vêtements pour toute la famille, les lunchs, la douche avant le coucher...). Cependant, si vous savez pertinemment que vous êtes plutôt matinal, pourquoi ne pas vous lever plus tôt le matin pour faire quelques exercices et préparer les lunchs pendant que les enfants déjeunent. La même réflexion s'impose pour l'ensemble des activités familiales. Certaines familles préfèrent inscrire les membres de la famille à des activités en soirée, de façon à conserver la fin de semaine intacte pour les sorties, le chalet, le repos, etc. Pour d'autres, la course pour les activités en soirée est une source de stress supplémentaire ; en optant pour des inscriptions à des activités parascolaires la fin de semaine, le climat familial (surtout pour le chauffeur désigné !) est sans nul doute plus détendu et agréable. En matière de conciliation comme pour ce qui concerne la gestion du temps, je le répète, il n'y a pas de recette unique. C'est la vôtre qui sera la bonne !

Enfin, voici d'autres trucs (en vrac) pour gagner du temps, au travail comme dans la vie personnelle :

- Utiliser de l'équipement performant (par exemple, un ordinateur rapide, des électroménagers efficaces tels qu'une laveuse à grande capacité, une sécheuse rapide, un aspirateur robot, etc.) ;
- Bien se renseigner sur les fonctionnalités de son équipement (par exemple, maîtriser un logiciel aide à être plus efficace, bien connaître les gadgets de son micro-ondes, etc.) ;
- Écrire des protocoles et des procédures pour certaines tâches (ne pas réinventer la roue chaque fois) ;
- Lire le procès-verbal d'une réunion moins importante plutôt que d'y assister systématiquement ;
- Utiliser la règle de l'agenda unique (partagé), de la version unique (afin d'être toujours à jour, particulièrement dans les documents informatisés) ;
- Magasiner par catalogues (téléphone ou Internet) ;
- Utiliser une mijoteuse ;
- Faire des recettes en double et congeler les restes ;
- Dès l'achat de l'épicerie ou l'arrivée du panier bio, préparer un plat de crudités pour des collations rapides toute la semaine et des légumes prêts à cuire ;
- Faire dîner les enfants dans une maison privée (voisine de l'école, si possible), ce qui leur permet de couper la journée d'école et évite d'avoir des lunchs à préparer ;
- Acheter des plats cuisinés ou commandés du resto occasionnellement ou sur une base régulière ;
- Donner les bains à deux enfants en même temps si possible, ou en alternance (par exemple, un soir les filles, un soir les garçons) ;
- Faire plusieurs choses en même temps (par exemple, couper les légumes du souper en faisant réciter les leçons, plier des vêtements en parlant au téléphone – avec un appareil mains libres ou un casque d'écoute, c'est plus confortable pour le cou, etc.) ;
- Maximiser chaque déplacement tant dans la maison (comme apporter le recyclage en allant chercher quelque chose au garage) qu'à l'extérieur (par exemple, en planifiant le trajet des courses pour

éviter les détours, en faisant des courses à l'heure du dîner près du lieu de travail) ;

- Faire les choses au fur et à mesure, éviter d'accumuler (par exemple, la vaisselle, le lavage, les jouets à ramasser) ;

- Partager les courses avec des amis ou des voisins ;

- Faire du covoiturage pour les activités parascolaires des enfants ;

- Faire faire des tâches par des spécialistes sur une base régulière ou occasionnelle (par exemple, le déneigement, le ménage, la cuisine, le lavage et autres tâches, le pressage des chemises chez le nettoyeur, etc.). La fréquence peut varier selon le budget, même une fois par mois peut faire une belle différence ;

- Faire faire des tâches par des membres de l'entourage (par exemple, l'épicerie, le jardinage, le repassage par un parent retraité) ;

- Appeler à la pharmacie pour faire préparer à l'avance ses ordonnances afin d'éviter les files d'attente ;

- Faire réciter les leçons aux enfants pendant qu'ils sont dans le bain ou que vous préparez le repas.

La prise de décision

En matière de prise de décision, il est possible de perdre un temps fou, particulièrement pour les éternels indécis, les perfectionnistes et tous ceux qui ont peur de se tromper. Cependant, il est aidant de prendre connaissance du principe du général Powell, qui veut qu'une décision ait de bonnes chances d'être de qualité et prise au bon moment lorsqu'on a entre 40 % et 70 % de l'information à sa disposition. Habituellement, ce degré de connaissance s'effectue dans un temps raisonnable, et la perte de temps se trouve dans la recherche du 30 % superflu. Faites-vous valider ou faites-vous confiance, mais de grâce, décidez-vous !

Faire la liste des pour et des contre de chaque option, avec une pondération pour chacun (par exemple, sur une échelle de 10 points), représente un moyen simple et rapide d'avoir un portrait global de la situation.

Prenons un exemple pour illustrer la démarche. Pierre-Antoine voulait soit vendre, soit rénover son chalet, et il a hésité pendant plusieurs semaines. Voici le pointage décisionnel, fruit de ses réflexions :

Vendre

(+)

Rentrée d'argent (7)

Voyages possibles (4)

Fins de semaine
plus libres (6)

Total
(+) = 17 points

(–)

Perte de notre refuge (6)

Ennui des enfants (5)

(–) = 11 points

Rénover

(+)

Plus agréable après (8)

Augmente la valeur (7)

(–)

Sortie d'argent (9)

Temps et problèmes (7)

Difficulté d'en profiter
pendant les travaux (7)

Total
(+) = 15 points

(–) = 23 points

Dans cet exemple, il a été plus avantageux de vendre que de rénover, puisque les avantages de vendre sont plus élevés et les inconvénients de rénover paraissent très importants. Notez que le résultat peut varier d'une personne à l'autre à l'égard d'une même situation, les avantages et les inconvénients n'étant pas perçus ni évalués de la même façon pour tout le monde. Tout dépend des valeurs, encore une fois.

Autre élément à retenir : tentez de calculer approximativement la valeur de la décision, de façon à y consacrer par la suite un temps proportionnel. Pour une question qui change une vie (ou plusieurs), des semaines de réflexion et de consultation peuvent être raisonnables. Mais pour une simple « question à 20 $ », allez-vous consacrer autant de temps et solliciter autant d'énergie ? L'intuition peut aussi être utilisée à bon compte, puisqu'il semble que le cœur ne se trompe jamais vraiment. En ce sens, il est possible qu'au terme d'un calcul logique comme celui de l'exemple précédent, vous soyez mal à l'aise devant le résultat obtenu. Ce sont vos émotions qui parlent, votre intuition qui vous dit peut-être que l'autre option, en dépit de la logique, serait peut-être la meilleure pour vous à ce moment-ci de votre vie. En revanche, lorsque les résultats du calcul provoquent un sentiment de bien-être et de soulagement, c'est un signe que la décision risque fort d'être la bonne, la tête et le cœur étant en cohérence l'un avec l'autre.

Voici quelques questions à se poser pour s'assurer de prendre les décisions le plus adéquates possible dans le moins de temps possible :

- L'information disponible actuellement correspond-elle vraiment au problème à résoudre ?
- Quelle est l'information nécessaire pour prendre cette décision ?
- Puis-je acquérir l'information nécessaire pour solutionner ce problème en temps voulu, à un prix et à des conditions raisonnables ?
- L'information disponible est-elle suffisante pour décider maintenant ?
- Quel est le degré de certitude (ou de risque) acceptable pour moi ?

Pour les décisions vraiment très importantes mais non urgentes, il peut être utile de suivre le bon vieux dicton qui dit que la nuit porte conseil. Vous pouvez donc réfléchir la veille, mais attendre au matin avant d'officialiser votre décision.

L'une des décisions à laquelle vous pouvez arriver est de refuser de faire quelque chose. Êtes-vous capable de dire non ? Pensez-vous qu'il est *impossible* d'apprendre à dire non ? Bien sûr que non !

Mettre ses limites : apprendre à dire non ou à négocier

Parfois, on manque de temps parce qu'on en fait tout simplement trop. Dire non signifie faire des choix. Apprendre à dire non n'est pas facile pour la majorité des gens, principalement à cause de la peur du jugement. « Je vais passer pour celui qui ne veut jamais ou celui qui n'est pas fin » ou encore « Je vais avoir l'air de celle qui n'est pas capable ou celle qui ne pense qu'à elle ». Tentez de découvrir la raison sous-jacente à votre tendance à tout accepter. Est-ce parce que vous souhaitez une promotion? Est-ce parce que vous avez peur de perdre l'amour de vos proches? Y a-t-il d'autres moyens d'atteindre vos buts sans toujours dire oui à tout?

Non seulement apprendre à dire non vous aidera dans votre gestion du temps, mais cela peut contribuer aussi à baisser considérablement votre degré de stress. En effet, cela donne l'impression accrue qu'on a le contrôle de notre vie. Et à long terme, la perception de manque de contrôle peut mener au syndrome de l'impuissance acquise, lui-même lié à la démotivation et à la dépression. L'impuissance acquise est la perception qu'on ne maîtrise pas son existence et qu'il est inutile d'agir. Cette réaction a été découverte par les membres de l'équipe de Seligman (psychologue et chercheur) dans les années 1960, alors qu'ils testaient des mécanismes d'apprentissage chez les chiens. Ils ont remarqué que les chiens qui recevaient des chocs de façon aléatoire, sans qu'un comportement y soit associé, n'apprenaient jamais par la suite comment éviter les chocs une fois leur contrôle retrouvé. Ceux-ci abandonnaient plus rapidement, s'écrasant sur le sol en gémissant. Alors, n'hésitez plus à reprendre le pouvoir sur votre vie; un simple non à l'occasion peut faire une grande différence.

Avant de refuser, il importe cependant de bien réfléchir aux impacts de cette réponse. Si un non est avantageux dans les circonstances, prenez votre courage à deux mains et essayez-le, en gardant en tête que ce n'est pas la personne qu'on rejette, mais bien sa demande. Si l'exercice d'apprendre à dire non vous semble particulièrement insurmontable, François Gamonnet suggère d'abord d'expliquer et de justifier vos refus, ou encore de proposer des oui conditionnels. Par exemple, «Oui, mais en partie seulement», «Oui, mais avec quelqu'un d'autre», «Oui, mais plus tard». Une approche de négociation qui peut s'avérer gagnant-gagnant.

Voici une liste des types de non de Greenberg et Avigdor:

- Non «pur et simple»;
- Non «bienveillant» (je vous remercie d'avoir pensé à moi);
- Non «désolé»;
- Non «la décision ne m'appartient pas» (mon médecin m'a recommandé de...);

- Non «pas disponible» ;
- Non «je sais qui pourrait vous aider» ;
- Non «limité» (voici ce que je peux faire) ;
- Non «incertain» (laissez-moi y penser).

L'idée à garder en tête : épurez votre agenda ! Vous vous sentirez plus léger s'il est moins rempli et si vous n'allez qu'à l'essentiel.

L'essentiel peut aussi être visé sur le plan matériel. Cela nous amène à parler d'argent, sujet incontournable en matière de gestion du temps. La rubrique suivante vous aidera à voir plus clair à ce sujet.

Faire un choix : le temps de qualité ou l'argent ?

Le vieil adage bien connu, «Le temps, c'est de l'argent», est ô combien vrai quand vient le temps de parler de conciliation ! Et c'est particulièrement le cas dans nos sociétés industrialisées et majoritairement capitalistes où chacun cherche son compte. Voici une bonne question à se poser à ce sujet : «Devriez-vous dépenser plus d'argent pour gagner du temps, ou dépenser plus de temps pour économiser de l'argent ?» Cette question a souvent motivé certains couples à ne compter que sur un salaire pour assumer les dépenses familiales. Traditionnellement, c'est la mère qui reste à la maison, mais de plus en plus de pères prennent un congé parental, temporaire ou prolongé, de façon à permettre à leur conjointe de s'investir dans sa carrière. Les sacrifices financiers sont certains, mais il en découle également des avantages. Et pour ceux qui choisissent que les deux conjoints fassent carrière, il peut être très «payant» de recourir aux services d'une aide extérieure. Ainsi, le peu de temps passé à la maison a plus de chances de se transformer en temps de qualité.

Le temps peut donc s'obtenir en échange d'argent (par exemple, si on délègue certaines tâches à des ressources externes). Aussi, on peut gagner du temps en décidant de gagner moins d'argent, soit en travaillant à temps partiel ou en ne travaillant pas du tout (à l'extérieur de la maison, évidemment). En effet, pour une mère de deux enfants qui gagne 30 000 $ par année, il peut s'avérer avantageux de rester à la maison, car si on tient compte des avantages fiscaux, des prestations pour enfants et des frais reliés au travail (transport, vêtements, restaurants, garderie, etc.), il peut ne rester que le tiers du revenu disponible pour la famille. Est-ce que la qualité de vie vaut vraiment ce montant? À vous de faire vos calculs avec un conseiller financier objectif et compétent en la matière. Dans votre calcul des éléments moins tangibles, pensez cependant au recul professionnel que vous risquez de prendre et aux difficultés de revenir sur le marché du travail à un salaire équivalent à celui à votre départ. Pour amoindrir ces impacts, voici quelques suggestions : faire occasionnellement du bénévolat lié à votre domaine, s'abonner à des revues spécialisées, participer à des colloques ou à des formations, entretenir son réseau de contacts, etc.

Une autre option à considérer : pendant que les enfants sont à l'école ou au service de garde à temps plein, un ou les deux parents travaillent quatre jours par semaine (ou l'équivalent). La cinquième journée sert pour les courses, les rendez-vous, l'entretien de la maison, le lavage. Et les fins de semaine sont alors presque entièrement consacrées à la famille. Quel beau rythme de vie (petite parenthèse personnelle : c'est d'ailleurs le choix qui a été retenu chez moi, et c'est très apprécié de tous) !

Aussi, si votre choix est de continuer à travailler à l'extérieur et que vous constatez qu'il ne vous reste que 15 minutes par jour à consacrer à vos proches (enfants ou conjoint) autrement que pour les soins essentiels, ne vous en culpabilisez surtout pas. Comme le suggère Martyne Huot dans son livre sur la conciliation, faites en sorte que ces 15 minutes soient si agréables, détendues et empreintes d'amour que c'est ce dont vos proches se souviendront dans 20 ans !

Peu importe l'option choisie, gardez en tête que ces choix sont révocables. Certes, on ne joue pas au yo-yo aussi facilement qu'on le voudrait avec le marché du travail, mais si le chemin choisi ne vous convient pas, il y a toujours une possibilité de faire des ajustements par la suite. Qui ne tente rien n'a rien. Pour approfondir votre réflexion à ce sujet, je vous suggère le très bon livre *Ralentir* de John Drake.

Toutefois, la question de fond demeure : « Voulez-vous travailler pour vivre ou vivre pour travailler ? » Ceux qui répondent oui à la première partie de la question ont des besoins financiers à combler ou le désir de maintenir un certain standard de vie (restaurants, voyages, etc.). Les autres aiment sincèrement leur travail et y voient un espace pour se réaliser. La différence fondamentale entre ces deux options, dictée par une vie harmonieuse, est particulièrement bien résumée par Koch dans son livre sur le principe du 80/20. En voici un extrait adapté[5] :

Visez moins

- De travail qui vous déplaît et pour lequel vous n'avez pas de talent.
- De choses faites par devoir.
- De routine.
- D'activités peu rentables du point de vue de l'énergie.
- De temps gaspillé à attendre ou à vous inquiéter.
- De temps à fréquenter des gens que vous n'aimez pas.
- D'endroits que vous n'aimez pas.
- De tâches que vous n'aimez pas (comme le téléphone, les déplacements frénétiques).
- De conduite automobile.

- D'exercices que vous n'aimez pas.
- De crises.

- De surinformation.

- De consommation.
- D'habitudes qui vous procurent peu de plaisir.
- De grandes choses qui font peu de différence.

Visez plus

- De travail qui vous plaît et dans lequel vous excellez.
- De plaisir et de loisirs.
- De surprises.
- D'activités profitables.

- D'activités que vous aimez.

- De rencontres avec de bons amis.

- D'endroits que vous aimez.

- De temps pour penser, dans la paix et la tranquillité.

- De temps pour marcher et vous promener à vélo.
- D'exercices que vous aimez.

- De réflexion pour éviter les crises (prévention).
- D'informations sur vos intérêts particuliers.
- De dons, de recyclage.
- De rituels quotidiens que vous aimez.
- De petites choses qui font une grande différence.

---

5. R. Koch, *Bien vivre le principe du 80/20*, 2007.

Alors, que choisissez-vous ? Le bonheur apparaît émaner davantage de la colonne de droite, n'est-ce pas ?

Dans l'optique de vouloir profiter de la vie, il faut parfois s'en donner les moyens. On veut du temps pour soi, du temps pour le couple, mais qui s'occupera des enfants ? Voici quelques pistes de réflexion utiles, que vos enfants soient jeunes ou moins jeunes.

Le grand saut : faire garder les enfants

Vous avez assurément besoin de sortir de la maison, *mais* (il y a toujours des «mais») votre plus jeune ne parle pas encore, l'un de vos enfants a des allergies ou des besoins spéciaux, vous anticipez ne pas profiter de votre sortie à cause d'inquiétudes diverses. La première fois est toujours la plus difficile, mais lorsque vous avez trouvé une personne de confiance, il est inutile de vous en passer. La plupart des enfants apprécient aussi cette petite étincelle qui les sort de la routine. Toutefois, il est important de bien préparer cette expérience ; voici quelques suggestions en ce sens :

- Demander à votre entourage (voisins et autres personnes du quartier) et à la personne pressentie des références, c'est toujours rassurant ;

- Tenter de trouver un jeune entre 12 et 16 ans. La jeunesse amène parfois plus de dynamisme et de disponibilité, alors que l'adolescent plus âgé pourrait être plus mature et débrouillard. Un adulte peut aussi être sollicité (par exemple, une dame retraitée), cela dépend de vos préférences et de la personnalité de vos enfants ;

- Demander à vos enfants s'ils ont une préférence pour une fille ou un garçon ;

- Questionner la personne sur ses intérêts, sur sa famille, sur sa motivation à faire du gardiennage, sur sa formation en premiers soins, sur son expérience avec certaines tranches d'âge, sur sa façon d'amuser les enfants ou de les ramener à l'ordre. Cet échange donne également un aperçu de sa façon de s'exprimer, une donnée importante si vous souhaitez que vos petits mousses ne prennent pas de mauvais plis, ou si vous souhaitez qu'ils apprennent une autre langue par la même occasion ;

- Organiser une rencontre avec la personne pour la voir interagir avec les enfants et lui faire faire le tour de la maison. On peut même planifier le premier gardiennage pendant qu'on est à la maison occupé à une tâche plus exigeante (de cette façon, on peut garder un œil ou une oreille sur ce qui se passe avec les enfants et intervenir au besoin). Si ce n'est pas possible, la faire arriver 20 à 30 minutes d'avance lors de la première sortie;

- Communiquer les règles concernant le gardien, notamment si vous souhaitez qu'il ne parle pas au téléphone ou reçoive des amis pendant votre absence;

- Noter par écrit les renseignements pertinents: adresse complète de la maison en cas d'appel aux services d'urgence, numéro de cellulaire ou de téléphone où vous vous trouverez, nom et numéro des voisins ou autre personne qui peut aider en cas d'urgence, nom, âge, poids, numéro d'assurance maladie et situation de santé (allergies), médicaments, routine et besoins (alimentation, propreté) de chaque enfant, où sont la trousse de premiers soins et la lampe de poche, règles pour répondre au téléphone ou à la porte. Il existe sur Internet des formulaires à remplir à cet effet.

Si vous n'arrivez pas à trouver une personne convenable grâce à votre entourage, il existe des ressources pour faciliter le jumelage idéal (voir «Ressources et références»).

Enfin, le jour J, préparez votre enfant en lui faisant voir les bons côtés de cette personne qui s'occupera de lui et posez-lui des questions par la suite pour connaître sa perception de l'expérience. Et, surtout, profitez-en!

Les enfants sont-ils capables de se garder seuls?

Un jour arrive où on se demande si on peut laisser ses enfants sans gardien pour quelques minutes ou quelques heures. Cette décision n'est pas facile à prendre, d'autant plus qu'au Québec il n'y a pas de loi prescrivant l'âge légal pour laisser un enfant seul à la maison. En général, l'enfant devient suffisamment responsable vers 11 ans, âge auquel certaines écoles offrent des cours de Gardiens avertis en collaboration avec la Croix-Rouge. À titre indicatif, d'autres provinces canadiennes ont prévu des normes variant entre 10 et 12 ans. Cependant, puisque chaque enfant est différent, le jugement des parents prend toute son importance. Voici donc quelques questions pertinentes à se poser, en prenant en considération la personnalité de l'enfant, afin de prendre cette délicate décision :

- Est-ce que votre enfant fait preuve de maturité dans ses actes ou propos ?
- Est-ce que votre enfant a demandé de se garder seul ?
- Est-ce que votre enfant est suffisamment responsable pour faire ce qui est attendu de lui au moment opportun ?
- Est-ce que votre enfant respecte les consignes ou fait souvent à sa tête ?
- Est-ce que votre enfant est capable de verrouiller et de déverrouiller la porte seul ? D'armer et de désarmer le système d'alarme ?
- Y a-t-il un adulte de confiance dans le voisinage que votre enfant peut contacter en cas d'urgence (voisin proche, grands-parents, propriétaire du dépanneur du coin, etc.) ?
- Est-ce que votre enfant a peur au moindre bruit suspect ?
- Est-ce que vos enfants s'entendent bien ou se chamaillent constamment ?
- Est-ce que votre enfant a de bonnes habiletés de résolution de problèmes et un bon jugement (par exemple, si un verre se brise sur le plancher de la cuisine ou si le détecteur de fumée se met à sonner) ?
- Est-ce que votre enfant connaît les règles de sécurité (par exemple, ne pas répondre à la porte à un étranger, ne pas dire au téléphone qu'il est seul, ou dire que ses parents sont occupés, etc.) ?
- Est-ce que votre enfant peut vous joindre rapidement par téléphone au besoin ?
- Est-ce que votre enfant seul pourrait inviter un ami à la maison ?

Voilà de quoi réfléchir avec votre conjoint... Si vous allez de l'avant, je vous suggère évidemment d'introduire l'« autogardiennage » de façon graduelle, en quittant la maison moins longtemps et moins loin au début. Ainsi, en fonction des résultats constatés, des ajustements pourront être apportés. Au fur et à mesure que les expériences positives s'accumuleront et que la confiance s'installera (tant pour les parents que pour les enfants), les périodes d'absence parentale pourront être prolongées. Et bravo pour ce nouveau chapitre de vie familiale qui s'amorce !

Maintenant, à vos crayons, il est temps de faire du ménage dans votre agenda pour y insérer ce que vous voulez. Mais tout d'abord, à quoi ressemble-t-il ?

Exercice pratique : élaborer une journée type et une semaine type

Nous bénéficions tous de 24 heures dans une journée et, donc, de 168 heures dans une semaine. De quelle façon utilisez-vous ces heures et ces minutes si précieuses ?

Voici quelques exercices pour visualiser votre répartition du temps, en utilisant les codes des sept catégories ci-dessous :

- SR : temps de sommeil et de repos (incluant le temps couché avant de s'endormir et avant de se lever et les siestes) ;
- TP : temps de travail rémunéré (incluant les déplacements pour s'y rendre) ;
- TD : temps consacré aux tâches domestiques (entretien, lavage, repas, courses) ;
- FA : temps consacré à la famille (enfants – devoirs, soins, jeux –, parents) ;
- CO : temps consacré à la vie de couple ;
- VS : temps consacré à la vie sociale (amis, bénévolat) ;
- VP : temps pour soi (soins personnels, loisirs, études, sports, santé, passions, spiritualité, voyages, etc.).

D'abord, inscrivez ce que vous faites dans une semaine typique à l'aide des codes précédents.

	Lundi	Mardi	Mercredi	Jeudi	Vendredi	Samedi	Dimanche
Matin							
Après-midi							
Soir							
Nuit							

Puis, détaillez de la même façon vos activités, mais cette fois sur une journée représentative de vos journées de semaine (habituellement représentées entre le lundi et le vendredi).

Heures	Activités
1 h	
2 h	
3 h	
4 h	
5 h	
6 h	
7 h	
8 h	
9 h	
10 h	
11 h	
12 h	
13 h	
14 h	
15 h	
16 h	
17 h	
18 h	
19 h	
20 h	
21 h	
22 h	
23 h	
24 h	

À la suite de ces deux exercices, tentez de considérer le temps dont vous disposez plutôt que de mettre l'accent sur le temps qui vous manque. C'est le même principe que faire un budget, à la différence que tout le monde bénéficie du même compte en banque ! Pouvez-vous gaspiller du temps que vous n'avez pas ? Comment allez-vous optimiser le temps que vous avez et en profiter au maximum ? Dans l'optique de faire un changement d'attitude face au temps, suivons les conseils de la coach Claudie Arsenault qui suggère de remplacer de son langage la phrase «Je n'ai pas *eu* le temps de...» par «Je n'ai pas *pris* le temps de...». Tout devient alors une question de priorités et de perception. Plutôt que d'être contrôlé par l'agenda, on devient maître de son temps.

Enfin, utilisez les cercles qui représentent le temps disponible pour une journée complète, soit 24 heures. Tracez des lignes dans ces cercles afin de distinguer sept parties distinctes (semblables à des pointes de tarte) correspondant aux sept catégories (codes) mentionnées précédemment. Dans le premier cercle, tracez le plus fidèlement possible la répartition moyenne que vous vivez actuellement au cours d'une journée typique. Dans le second cercle, tracez d'abord la répartition idéale que vous aimeriez atteindre (c'est bon de laisser de la place à ses rêves). Ensuite, comparez les deux graphiques et notez les écarts.

Exemple de Catherine

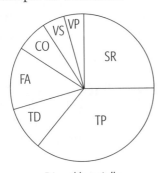

Répartition réelle

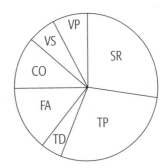

Répartition idéale

Vous constatez visuellement par cet exemple que la répartition idéale de Catherine comprend plus de temps de sommeil et de repos, ainsi que plus de temps pour ses loisirs personnels. Catherine vient donc d'établir les zones d'action qui sont prioritaires pour elle et qui feront partie de son plan d'action. À votre tour, maintenant !

Votre vie

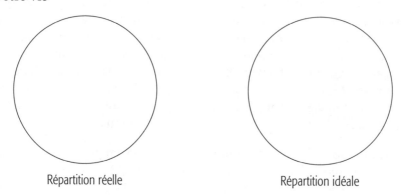

Répartition réelle   Répartition idéale

Dans le chapitre 5, vous élaborerez un plan d'action qui vous aidera à planifier à nouveau votre semaine et votre journée, mais cette fois-ci en fonction de votre idéal de vie.

La gestion de l'agenda

Une fois que votre plan de match et vos priorités sont établis, utilisez un agenda hebdomadaire. Au début de chaque semaine, transcrivez-y les différents rôles que vous jouez dans chaque sphère de votre vie (par exemple, travailleur, parent, conjoint, ami, bénévole, etc.), ainsi que les objectifs que vous vous fixez pour chacun à moyen ou long terme (vous trouverez un guide pour cette réflexion au chapitre 5). Ainsi, l'identification de vos priorités pour la semaine et pour chaque journée individuellement sera grandement facilitée. Dans le haut de la colonne indiquant les journées, inscrivez-y vos priorités à court terme (quotidiennes) et, juste en dessous, vos rendez-vous et engagements du jour. Vous pouvez utiliser un code couleurs, des symboles ou tout autre moyen visuel pour rendre votre page de planification agréable et rapide à consulter.

Voici un excellent modèle d'agenda inspiré de celui de Covey :

Semaine du :			Lundi	Mardi	Mercredi	Jeudi	Vendredi	Samedi	Dimanche
Rôles	Objectifs	Priorités hebdomadaires	Priorités quotidiennes						
			Rendez-vous et engagements du jour						
			8	8	8	8	8	8	8
			9	9	9	9	9	9	9
			10	10	10	10	10	10	10
			11	11	11	11	11	11	11
			12	12	12	12	12	12	12
			13	13	13	13	13	13	13
			14	14	14	14	14	14	14
Activités de bien-être			15	15	15	15	15	15	15
• Physique :			16	16	16	16	16	16	16
• Intellectuel :			17	17	17	17	17	17	17
			18	18	18	18	18	18	18
• Spirituel :			19	19	19	19	19	19	19
• Social/affectif :			20	20	20	20	20	20	20
			Soirée	Soirée	Soirée	Soirée	Soirée	Soirée	Soirée

Vous remarquerez certainement que ce modèle met beaucoup l'accent sur la gestion des priorités. Celles que vous indiquez dans la colonne des priorités hebdomadaires peuvent être plus globales, alors que celles dans les colonnes de priorités quotidiennes doivent être plus détaillées et précises (mais, dans tous les cas, réalistes et réalisables). Dans un seul et unique agenda, vous pouvez donc inscrire tant vos engagements professionnels que vos engagements personnels (famille, amis, santé, etc.), afin de ne plus rien oublier !

La gestion du stress : entretien d'une bonne hygiène de vie pour la santé et la vitalité

« Le stress, c'est comme de l'eau : bien canalisée, elle produit de l'électricité, sinon elle provoque des inondations. »

Jean-Pierre Hogue, psychologue industriel et organisationnel
(*Journal Les Affaires*, 19 octobre 2002)

Comme on l'a vu au chapitre précédent, le temps est une denrée rare, souvent mal utilisée. On entend souvent les gens dire : « On vit dans une course folle ! », « Tout le monde est stressé tout le temps ! ». Et vous, êtes-vous stressé ? Pensez-vous que votre conjoint l'est ? Et vos enfants ? Mais d'abord, qu'est-ce que le stress ? Selon Hans Selye (le père de la question, puisque c'est lui qui a introduit l'utilisation du terme dans le contexte de l'adaptation psychologique, ses recherches ayant été poursuivies par Lazarus et par Faulkman par la suite), le stress se définit comme une situation où les ressources perçues (capacités, temps) sont inférieures à la demande (ou menace) perçue. Le rôle des perceptions étant très important dans l'expérience du stress, c'est ce qui explique qu'une même situation ne sera pas vécue avec le même degré de stress d'une personne à l'autre, compte tenu des différences de personnalité et de bagage personnel. Par exemple, partir seul en avion pour New York sera de la petite routine pour quelqu'un qui voyage régulièrement par affaires. Par contre, pour une agoraphobe qui n'a jamais pris l'avion de sa vie, ce même périple aura l'air d'une montagne quasi insurmontable... et son pouls sera beaucoup plus rapide que celui du voyageur habitué et détendu.

Cela dit, une dose raisonnable de stress est nécessaire à la vie. C'est en effet ce qui pousse à l'action. L'absence totale de stress, c'est l'inertie, la mort. Là où le stress est néfaste, c'est lorsqu'il est ressenti de façon trop intense et désagréable (accompagné d'anxiété pathologique) ou sur une période trop prolongée, ce qui entraîne des dommages physiques parfois très sournois.

Les sources de stress : qu'est-ce qui déclenche mon « bouton rouge » ?

La vie est une série d'éléments stressants (stresseurs) de différentes ampleurs : rater un autobus, être pris dans la circulation, se faire demander un dossier « pour hier », attendre un fournisseur, constater un compte à payer plus élevé que prévu, etc. Ça vous rappelle votre journée d'hier ? Vous n'êtes pas seul ! L'adrénaline sécrétée et l'activité du système nerveux que ces situations provoquent, même si elles sont parfois difficilement perceptibles, sont fortement susceptibles de fatiguer l'organisme si la tension n'est pas bien gérée. Aussi, une forme de stress plus subtil peut être engendrée par des situations pénibles à plus long terme, comme prendre soin à la maison d'une belle-mère âgée et irritable, ou encore se donner à fond au travail sans recevoir de reconnaissance. Comme la santé cardiaque, le système immunitaire et le fonctionnement hormonal sont fortement dépendants de la gestion du stress, il est primordial de s'attaquer au problème d'une façon ou d'une autre. Ainsi, que ce soit à la maison ou au travail, le sentiment de pouvoir contrôler sa vie (ses choix, sa façon de vivre) est crucial pour la santé et le bien-être. C'est un peu d'ailleurs l'objectif sous-jacent de l'ensemble de ce livre : vous faire travailler à améliorer les facettes de votre vie sur lesquelles vous détenez un certain contrôle.

Comme nous venons de le souligner, les sources de stress sont multiples : les facteurs environnementaux tels que la pollution par les produits neurotoxiques, la mauvaise ventilation des immeubles et le bruit (des éléments qui affectent tout le système nerveux), l'argent, la pression de résultats (surcharge qualitative), le manque de temps (surcharge quantitative), la maladie, les risques d'accident, les horaires rotatifs, le harcèlement, l'incertitude, les changements, les deuils, les pertes et les séparations de toutes sortes, les relations interpersonnelles difficiles ou conflictuelles, les jeux politiques, le manque de sécurité d'emploi, les délais serrés, le manque de soutien, etc. Même pour les parents qui choisissent de rester à la maison, s'occuper des enfants peut s'avérer aussi stressant que certains emplois ! Par ailleurs, un stresseur peut être positif : mariage, promotion, gain à la loterie, naissance d'un enfant, etc. Ne cherchez pas à éliminer toute forme de stress, car un minimum est nécessaire pour promouvoir l'action. Trop peu de stimulation est stressant en soi, mais cela se traduit souvent par de l'ennui ou par une fatigue liée à la routine.

À titre indicatif, voici une liste des stresseurs les plus importants en ce qui a trait à leur impact sur la santé :

- Décès d'un proche ;
- Divorce ou séparation ;
- Mariage ;
- Perte d'emploi ou retraite ;
- Blessure ou maladie grave ;
- Problèmes juridiques ou financiers ;
- Grossesse et naissance ;
- Maladie d'un proche ;
- Problèmes sexuels ;
- Changement d'emploi ;
- Arrivée ou départ d'un enfant du foyer ;
- Déménagement ou rénovations majeures ;
- Début et fin des études ;
- Conflits ;
- Manque de défis ou de stimulation.

Si vous vivez ou avez vécu un ou plusieurs de ces événements au cours d'une période donnée (la dernière année, par exemple), prenez particulièrement soin de vous puisque la vulnérabilité est proportionnelle à l'accumulation des facteurs de stress.

À la suite d'un événement, les réactions de peur, d'anxiété et de stress sont souvent le résultat d'une analyse émotionnelle sommaire et souvent incorrecte ou exagérée. Le cerveau émotif (limbique) étant plus rapide que le cerveau rationnel, cela explique pourquoi un simple bout de bois sur le sol dans une forêt sombre peut être interprété comme un serpent. Pourtant, lorsqu'on prend le temps d'observer objectivement les choses, elles sont souvent réellement inoffensives. Le cerveau limbique contrôle la respiration, le rythme cardiaque, la tension artérielle, l'appétit, le sommeil, la libido, la sécrétion des hormones, le système immunitaire et même plusieurs de nos décisions. Si la partie rationnelle du cerveau (néocortex) répond bien aux interventions verbales, la partie émotionnelle, en revanche, est mieux reliée au corps. C'est pourquoi la fréquence cardiaque, le sommeil, l'exercice et l'alimentation sont des portes d'entrée puissantes et efficaces pour la gestion du stress.

Parfois, les sources de stress semblent hors de notre contrôle direct. Pourtant, le sentiment de contrôle sur sa vie est un facteur clé dans la réduction du stress. Et il y a souvent moyen d'agir pour changer un tant soit peu les choses. Le chapitre 5, qui est axé sur les actions en matière de conciliation, vous rendra sûrement de fiers services en ce sens. Cependant, il est plus ou moins utile dans la gestion du stress de modifier son horaire si on ne prend pas aussi soin de son corps. La bonne nouvelle est que vous seul (normalement) avez le contrôle sur ce que vous faites de votre corps.

Les signes de stress : comment les démasquer ?

Le lien entre le corps et l'esprit n'est plus à faire. Souvent, on traite la fatigue, les variations de poids et les problèmes cardiaques comme des manifestations de la dépression, de l'anxiété et du stress. Pourtant, il est aussi vrai que la tristesse, la perte de l'estime de soi, la culpabilité et l'absence de plaisir peuvent être des manifestations d'un problème physique. Bref, la relation s'établit dans les deux directions. Souvent, notre corps nous donne des signes que le stress est présent. Il s'agit d'y être à l'écoute.

✎ *Afin de mesurer votre degré de stress de base (ou actuel), voici un court exercice inspiré du livre de Richard Pépin. Pour chaque énoncé, dites s'il correspond: pas du tout (1), un peu (2) ou beaucoup (3) à la réalité.*

Depuis les quatre ou cinq derniers jours:

- Je me sens tendu ou crispé. ___
- Je me sens pressé par le temps. ___
- Je me sens seul, isolé, incompris. ___
- Je me sens débordé, dépassé, surchargé. ___
- Je suis irritable, j'ai les nerfs à fleur de peau. ___
- Je suis préoccupé, tourmenté, tracassé. ___
- J'ai le cœur qui bat plus vite. ___
- Je sens beaucoup de pression sur mes épaules. ___
- Je suis fébrile, je ne tiens plus en place, je suis énervé. ___
- Je maîtrise mal mes réactions, mes humeurs et mes gestes. ___

Total = ___

Interprétation des résultats

- De 10 à 15 points: vous êtes de nature particulièrement calme et votre résistance est très bonne.
- De 16 à 22 points: vous pouvez ressentir une certaine dose de stress, prenez soin de vous.
- De 23 à 30 points: vous vous laissez parfois submerger par le stress, attention à l'épuisement!

Le stress peut s'installer chez un individu de façon insidieuse. Pour vous aider à y voir plus clair, voici une liste des symptômes possibles du stress chez les adultes et les enfants.

Symptômes du stress chez les adultes :

- Manque d'énergie.
- Envie de ne rien faire.
- Baisse de moral.
- Diminution de la capacité à l'effort.
- Coups de pompe (fatigue subite).
- Faiblesse générale.
- Incapacité à récupérer après un effort.
- Essoufflement, palpitations, oppression, tachycardie.
- Gêne et blocage respiratoires.
- Augmentation ou diminution de la tension artérielle.
- Vertiges, maux de tête, troubles de la vue, caries.
- Courbatures, contractures musculaires, crampes, jambes lourdes, mal de dos.
- Frilosité, transpiration.
- Système immunitaire moins efficace (rhumes à répétition, grippe, sinusite, etc.).
- Douleurs abdominales (spasme, point de côté, ballonnement, constipation, gastrite, ulcère).
- Douleurs thoraciques.
- Manque d'appétit, boulimie.
- Recours aux excitants (thé, café, tabac, alcool) et aux drogues.
- Recours immodéré aux médicaments (somnifères, antidépresseurs, anxiolytiques).
- Mauvaise digestion, mauvaise haleine, bouche sèche.
- Prise de poids ou perte de poids anormale.
- Allergies (alimentaires ou environnementales).
- Insomnies, difficultés à s'endormir, à se lever.
- Somnolence dans la journée, ralentissement gestuel.
- Troubles du comportement et de l'humeur, apathie, agressivité, morosité, anxiété, colère, crise de nerfs, troubles obsessionnels-compulsifs (TOC).
- Sensation de frustration, insatisfaction au quotidien, pessimisme.
- Repli sur soi-même, isolement.

- Incapacité à se concentrer, trous de mémoire.
- Teint gris, traits tirés, cernes sous les yeux, rides marquées, cheveux et ongles cassants, problèmes cutanés.
- Perte de libido, troubles de l'érection, frigidité.

Symptômes du stress chez les enfants et les adolescents :
- Retards de croissance ou de puberté, croissance trop rapide.
- Infections persistantes (rhumes, pharyngite, otites).
- Énurésie (pipi au lit).
- Difficultés scolaires, problèmes d'attention et de mémoire.
- Mélancolie, anxiété, saute d'humeur, refus de participer et de communiquer à l'école ou à la maison.
- Modification des habitudes alimentaires (anorexie, boulimie, tendance à suivre des diètes).
- Timidité excessive, hyperémotivité.
- Agitation, inquiétude, insomnie et cauchemars.
- Tics nerveux, manies, idées fixes, crises de larmes.

Si vous remarquez un certain nombre de ces signes chez vous ou un membre de votre entourage, il peut être important d'aborder la question rapidement. Sans tomber dans le mélodrame, je crois néanmoins qu'il vaut mieux prévenir que guérir, et pour ce faire, ne tardez pas trop avant d'intervenir si vous avez des inquiétudes par rapport à votre santé physique ou psychologique. En effet, il est primordial d'agir pour diminuer les effets du stress sur son corps car les conséquences possibles sont nombreuses et peuvent être graves. Sur le plan psychologique, on pense à l'anxiété, à la dépression, aux insatisfactions chroniques (intolérance, impatience) et à l'épuisement professionnel. Sur le plan physique, on évoque les douleurs diverses (migraine, dos, estomac), l'insomnie, les problèmes dermatologiques, les maladies cardiorespiratoires, l'affaiblissement du système immunitaire, le cancer. Enfin, sur le plan comportemental, on peut voir de la négligence, des erreurs, des accidents, ainsi que de la consommation excessive de tabac, de café, d'alcool, de drogues ou de médicaments. Le médecin de famille ou un psychologue peuvent représenter des alliés précieux dans le soulagement des problèmes liés au stress.

Les stratégies d'ajustement au stress : quelles sont mes réactions spontanées ?

Pour faire face au stress, les gens ne réagissent pas tous de la même façon. On peut être centré parfois sur le problème, parfois sur l'émotion. Tout dépend de la façon dont on interprète l'événement, qui varie en fonction du sentiment de maîtrise, de l'estime de soi, de l'optimisme, de l'autonomie émotionnelle et du soutien social, et qui amène à percevoir les difficultés comme des défis. Par exemple, les stratégies centrées sur le problème peuvent prendre la forme de plan d'action, de négociation, de recherche de solutions, de demande de conseils, etc. Quant aux stratégies centrées sur l'émotion, elles sont plus passives et peuvent passer par le déni, l'espoir, l'évitement, la colère, la culpabilité, etc.

Dans certains cas, je le rappelle, les sources de stress sont ou nous paraissent hors de notre contrôle. Cependant, nous avons de l'emprise sur notre façon de réagir. Avoir la force de changer ce que l'on peut, le courage d'accepter ce qu'on ne peut changer et la sagesse d'en reconnaître la différence, voilà le leitmotiv des AA (Alcooliques anonymes) qui s'applique très bien à chacun de nous.

Aussi, l'une des façons reconnues de prévenir ou de diminuer le stress consiste à réorganiser le travail afin de diminuer la monotonie ou d'obtenir davantage d'autonomie. Proposez des changements à votre employeur. Certaines modifications simples peuvent faire une grande différence, par exemple l'instauration du travail d'équipe et des mécanismes de rétroaction, la simplification des processus, etc..

Même si une situation en général nous déplaît, il est toujours possible d'apprendre à l'aimer ou d'en faire ressortir au moins un aspect positif. On peut toujours au moins retirer de la satisfaction de l'effort qu'on applique à la tâche lorsqu'on la voit comme un défi. Vous ne recevez pas assez de reconnaissance ? Qu'à cela ne tienne, donnez-vous-en à vous-même et donnez-en aux autres. Il y a fort à parier que vous récolterez un jour ce que vous semez...

La personnalité de type A : quand le cœur est pris en otage

Êtes-vous du type irritable, impatient, compétitif, toujours pressé d'en faire le plus possible dans le moins de temps possible ? Alors, vous correspondez à la personnalité de type A, qui a malheureusement été associée par des cardiologues avec le risque de troubles coronariens. À l'opposé, la personnalité de type B est celle des gens qui prennent les choses au jour le jour, qui sont calmes et d'humeur joviale la plupart du temps. Un idéal difficile à atteindre pour certains, mais néanmoins plus sain sur le plan physique et pour la qualité des relations interpersonnelles.

On peut imaginer ces deux types de comportements comme les deux extrémités d'un continuum, où les individus ont une combinaison des styles plus ou moins accentuée :

- A1 : presque exclusivement de type A ;
- A2 : majoritairement de type A ;
- B3 : majoritairement de type B ;
- B4 : presque exclusivement de type B.

Parce que les gens ayant une personnalité de type A ont tendance à se surcharger de travail, ils ont la perception d'avoir une moins bonne qualité de vie et un sentiment de bien-être plus faible que les personnalités de type B, et leurs attentes irréalistes augmentent leurs chances d'être éternellement insatisfaits d'eux-mêmes et des autres. En effet, ces *supermen* et *superwomen* rapportent davantage de symptômes physiques liés au stress (Rhodewalt *et al.*, 1991). Il est déplorable de constater que plusieurs organisations valorisent la personnalité de type A. Les employés considérés comme ayant un fort potentiel sont rarement ceux qui ont une attitude *cool* et détachée, mais plutôt ceux qui fonctionnent à 150 %. Aussi bien dire qu'on favorise l'épuisement ! La rubrique qui suit comprend divers trucs qui vous aideront non seulement à augmenter votre niveau d'énergie, mais aussi à envisager la vie de façon plus zen.

Les habitudes de vie : qu'est-ce que je peux changer pour être plus en forme ?

On n'a qu'un corps et il nous suit pendant toute notre vie. C'est le *seul* véhicule dont nous disposons pour vivre pleinement *toutes* nos expériences. Il est donc primordial de s'occuper de son corps (alimentation, activité physique, détente, sommeil), de sa vie sociale et émotive (relations, communication empathique), de sa spiritualité (valeurs, mission, engagement) et de son esprit (lecture, cours, visualisation, écriture, planification).

L'alimentation

L'énergie dont on dispose pour faire face aux besoins de la vie quotidienne dépend du carburant qu'on injecte dans notre corps, c'est-à-dire la nourriture. En effet, il est reconnu qu'un système digestif engorgé est fortement lié à la fatigue. De plus, 70 % de nos cellules immunitaires se trouvent dans l'intestin. Il n'est pas étonnant d'être si souvent malade si on engouffre plein de gras et de sucre et pas assez de fibres. Dans le but de faciliter la digestion et la récupération d'énergie, deux changements sont souhaitables, avant même d'examiner le contenu de l'assiette: manger à des heures régulières (en ne sautant jamais le petit déjeuner) et, surtout, prendre le temps... de savourer, de mastiquer! Manger devrait redevenir le plaisir qu'il est. Et lorsqu'on prend le temps de manger, dans un climat de détente, on a naturellement plus le goût de bons aliments frais que de fritures réchauffées au micro-ondes, n'est-ce pas? Mastiquer consciencieusement sa nourriture est important pour la santé, la digestion, l'énergie. Pour chaque bouchée, il est recommandé de faire de 20 à 30 mouvements de mâchoire. Un autre avantage de ralentir le rythme en mangeant est que cela contribue à mieux contrôler ses quantités. Quand on engouffre un lunch en 5 ou 10 minutes, il est fréquent de trop manger, car le signal de satiété prend 20 minutes pour se rendre au cerveau. Si vous croyez être trop occupé pour prendre 30 minutes de pause complète pour dîner, sans lire vos dossiers en même temps, je vous invite à lire la métaphore du bûcheron à la page 104.

Par ailleurs, il est primordial de ne jamais «sauter» un repas. Notre corps dépense constamment de l'énergie, même en dormant et en écoutant la télévision. Alors, comment lui demander d'avancer à toute heure du jour si on ne le nourrit pas convenablement? Et comme nos parents nous l'ont souvent répété, le petit déjeuner est le repas le plus important de la journée. Il doit contenir des protéines et quelques glucides pour aider notre corps à refaire le plein d'énergie. Si vous n'avez pas faim le matin, préparez-vous pour le travail et mangez au moins quelques noix ou un morceau de fromage en chemin. Graduellement, habituez-vous à ajouter un petit ingrédient de plus de façon à réussir à un moment donné à manger avant de quitter la maison. Pour ceux qui surveillent leur poids, sachez que le meilleur moyen de ne pas en gagner consiste à manger régulièrement de petites portions. En effet, la personne qui ne prend pas le temps de dîner en se disant « Ça va faire du bien à ma ligne ! » se leurre complètement. Le corps comprend un message erroné. Comme il se croit en situation de famine, sa réaction est très intelligente : il emmagasine un surplus de graisse pour assurer votre survie, c'est génial ! Et la partie psychologique du corps, celle qui s'est sentie privée, ne va pas se gêner pour commander un « extra » de vinaigrette et un dessert le soir venu. Quelle est donc la meilleure stratégie, selon vous ? Manger souvent de bons aliments qui satisfont tant le palais que les cellules. En résumé, l'apport calorique de chaque repas doit être proportionnel à la dépense d'énergie à venir : le matin, ça prend plus de calories pour démarrer la journée, le midi, modérément pour traverser l'après-midi sans se fatiguer, et le repas du soir se doit d'être le plus léger puisqu'on ralentit généralement nos activités avant de dormir.

De façon générale, une alimentation faible en sucre (sucre, maïs, jus) et en hydrates de carbone (pains, pommes de terre) se digère mieux. Pour faire le plein d'énergie, les protéines (viandes – idéalement blanches comme les volailles et le porc –, produits laitiers, poissons, soya, tofu, légumineuses, œufs, noix), les vitamines (fruits, légumes) et les fibres (fruits, légumes, céréales à grains entiers) sont à privilégier. La variété et la saveur, jumelées à un équilibre entre le plaisir et la modération, font partie des principes à maintenir. À cet égard, les épices et les fines herbes ont des propriétés nutritives, voire antioxydantes, souvent insoupçonnées. Inutile de nous en priver, rehaussons la saveur et la qualité de chacun de nos repas ! Les suppléments ne sont généralement pas nécessaires, mais tout dépend de votre condition et de votre situation particulière. Pour toute question au sujet de votre alimentation, je vous recommande de consulter un spécialiste en nutrition ou en diététique (voir l'Ordre des nutritionnistes du Québec).

Pour faciliter la digestion, l'efficacité des probiotiques est maintenant reconnue et elle se retrouve en bonne quantité dans les yogourts, les produits fermentés tels que le kéfir et le Bio-K, et maintenant dans certaines marques de lait traditionnel, voire dans des jus de fruits. Ces aliments pourraient faire partie de notre consommation quotidienne en remplacement des desserts sucrés et des gras qui fatiguent lourdement l'organisme. Boire de l'eau régulièrement au cours de la journée (avant et après les repas) est aussi essentiel à l'équilibre corporel et même psychique. L'eau est le meilleur liquide que le corps peut absorber. Sans toutefois en surconsommer, l'idéal est de s'hydrater avant de ressentir la soif, soit l'équivalent en onces de la moitié de votre poids en livres. Par exemple, une personne de 120 lb devrait boire environ 60 oz d'eau par jour, soit environ de 7 à 8 verres d'eau de 1 tasse (250 ml). Le minimum quotidien généralement reconnu est de 6 tasses (1,5 litre) de liquide (incluant les jus, les tisanes, les thés, les consommés, etc.).

En parallèle, il importe de limiter les aliments contenant de la caféine dans les trois heures précédant le coucher. La consommation de caféine dépassant 500 mg par jour peut sérieusement compromettre la qualité du sommeil et le fonctionnement du système nerveux. Les aliments à plus haute teneur en caféine sont le café (jusqu'à 100 mg/portion), le thé (jusqu'à 55 mg/portion), les boissons gazeuses (jusqu'à 50 mg/portion) et le chocolat (jusqu'à 35 mg pour 28 g). Certains médicaments, par exemple ceux contre la migraine, contiennent de très grandes doses de caféine. Faites-en donc le bilan avec votre médecin ou votre pharmacien afin de vérifier si des substituts moins nocifs existent pour votre état de santé.

Le rôle des oméga-3 sur l'humeur et sur le bon fonctionnement cardiaque a été démontré par de nombreuses recherches récentes. Par ailleurs, notre alimentation occidentale comporte trop peu de cet acide gras oméga-3 (poissons, algues, graines de lin moulues) et trop d'oméga-6 (huile végétale, viandes), qui sont moins bénéfiques et favorisent les inflammations. Le ratio idéal, selon le docteur David Servan-Schreiber, serait une quantité égale des deux types d'acides gras essentiels.

Si votre indice de masse corporelle est en deçà ou au-dessus des normes de santé et que vous avez fréquemment des pannes d'énergie ou que vous souffrez d'un problème de santé particulier, il est fortement recommandé d'en parler à votre médecin et de faire appel à une diététiste ou une nutritionniste professionnelle afin d'y voir plus clair et d'obtenir un programme alimentaire personnalisé. Et bon appétit!

L'activité physique

Trouver une activité plaisante pour vous, c'est la clé du succès en matière d'exercice physique. Le fait d'avoir du plaisir en bougeant contribue d'abord à accentuer la motivation initiale et, en plus, cela favorise la sécrétion d'endorphine. Cette hormone stimule l'activité du système immunitaire en multipliant les cellules (NK, ou *natural killer*) qui combattent les infections et les cellules cancéreuses. De plus, l'exercice en soi favorise la synthèse de la dopamine et de la sérotonine, qui sont des neurotransmetteurs responsables des états de bonne humeur et de plaisir. Trouver un compagnon pour votre activité physique s'avère aussi une excellente option. Marcher 30 minutes deux fois par jour est une saine habitude. Il est souvent facile d'intégrer la marche à la routine quotidienne, soit le midi avec des collègues de travail (ou même pour faire une réunion d'équipe en mouvement, pourquoi pas!), après un brunch entre amis la fin de semaine, pour aller faire quelques courses ou en se procurant un chien. La marche et la natation sont les exercices les plus doux, particulièrement pour les personnes plus âgées, qui ont des douleurs ou un surplus de poids. Il faut par ailleurs éviter les activités excessives en soirée, car elles peuvent perturber le sommeil.

Il n'est pas nécessaire de faire beaucoup d'exercice pour en retirer des bienfaits, encore faut-il en faire régulièrement. Le minimum serait de 20 minutes trois fois par semaine (l'idéal étant de 30 minutes quatre fois par semaine), peu importe l'intensité de l'effort. On peut même fragmenter ces durées selon notre agenda et diviser, par exemple, sa demi-heure quotidienne en trois épisodes de 10 minutes de différentes activités.

Voici des idées d'activités pour bouger tout en s'amusant (la plupart se pratiquent tant seul qu'en groupe ou en famille, et plusieurs existent en version intérieure ou extérieure):

- Tapis roulant, bicyclette, trampoline, corde à danser ou musculation (en écoutant de la musique ou la télé);
- Marche (joindre un club ou s'acheter un chien);
- Jogging ou marche sautillante (eh oui, gambader comme des enfants!);
- Danse aérobique, danse aérobique latine (Zumba) ou kick-boxing;

- Danses diverses à saveur internationale (comme la salsa, le merengue, le swing, la danse folklorique, la danse africaine, etc.);
- Yoga, Pilates, gymnastique sur table, stretching postural (ou étirements simples);
- Badminton, tennis, squash ou racquetball;
- Ski de fond, raquette ou trottinette des neiges;
- Glissade sur neige en traîneau ou tube (à condition de remonter la côte à pied!);
- Bicyclette ou cardiovélo (*spinning*), ou encore vélo aquatique (*aquaspinning*) dans certains grands centres sportifs;
- Natation ou aquagym;
- Patinage à roues alignées ou sur glace;
- Escalade de murs ou de montagnes;
- Exercices avec console de jeux vidéo (par exemple, tapis de danse ou console de jeux de salon comme Wii ou PlayStation);
- Arts martiaux (par exemple, le karaté, le judo, le taekwondo) ou gymnastique chinoise (tai chi, Qi Gong, etc.);
- Jeux avec les «enfants» (par exemple, ballon, Frisbee, cerf-volant, corde à danser, élastiques ou corde chinoise, aki, cloche-pied, nawatobi, etc.);
- Activités en position asise, sur un ballon d'exercice (par exemple, étirements, lecture, télé, ou même travail si c'est absolument nécessaire);
- Activités en équipe: hockey, ringuette, soccer, volleyball, baseball, balle molle, basketball, disque volant en équipe (Ultimate Frisbee), ballon-balai, etc.

Avec toutes ces suggestions, vous n'avez plus d'excuses! Vous pouvez certainement trouver quelque chose qui vous plaît dans cette liste. Aussi, sachez que faire du vélo d'intérieur, du tapis roulant ou de la musculation avec de la musique de danse ou devant un film d'action ou un suspense aide à poursuivre l'effort. Les comédies ne sont pas recommandées car le rire n'est pas compatible avec l'effort physique. Pour savoir par où commencer, les centres de conditionnement physique offrent souvent des évaluations par des kinésiologues qui peuvent vous guider selon vos besoins précis (âge, santé, budget, grossesse, etc.). Plusieurs institutions proposent également des séances d'essai gratuites, informez-vous. Enfin, il est toujours sage de consulter son médecin pour un bilan de santé général avant de commencer un programme d'exercices structuré.

Pour augmenter votre motivation, vous pouvez :

- varier vos activités ;
- vous faire accompagner par un groupe, par des amis ;
- dresser une liste des moments les plus propices pour vous et en réserver quelques-uns à votre agenda ;
- établir vos objectifs (meilleure forme, meilleur sommeil, plus d'énergie, perte de poids, etc.) et les afficher dans un endroit où vous les verrez fréquemment (comme le miroir de la salle de bain, le frigo, l'agenda, etc.) ;
- préparer la veille votre sac de sport avec une surprise à l'intérieur (par exemple, un billet de cinéma, votre magazine préféré, etc.), mais il est interdit d'en profiter avant d'avoir terminé la séance d'exercice !

Alors, bougez ! Et vous verrez que c'est avec de l'énergie qu'on produit de l'énergie.

La relaxation

Il existe plusieurs façons efficaces de se détendre : yoga, méditation, imagerie mentale[6], musique, massothérapie, respiration, relaxation musculaire progressive, rétroaction biologique (*biofeedback*), autohypnose, tai chi, Qi Gong... À vous de trouver ce qui vous convient le mieux. Habituellement, ces périodes de détente sont recommandées le matin, au milieu de l'après-midi ou environ une heure avant le coucher. Il est important que l'estomac ne soit ni surchargé ni complètement vide au moment de pratiquer ces exercices.

Au cours de la journée, des pauses détente sont nécessaires. Même si vous avez un travail sédentaire, assis devant un ordinateur à longueur de journée, la fatigue oculaire et le stress de la mauvaise posture

---

6.   Voir les balados audio du site de passeportsante.net pour un grand choix d'accompagnements de durées variées.

vous guettent. Il est donc recommandé de s'arrêter de 10 à 15 minutes toutes les deux heures pour regarder au loin, faire des rotations du cou et des jambes, s'étirer, marcher un peu. Plutôt que de vous retirer du temps de travail, cela vous rendra plus productif pour les heures à venir (encore ce fameux bûcheron, que vous rencontrerez bientôt!).

Plusieurs techniques de relaxation se prêtent très bien à de courtes pauses détente dans tous les milieux, que ce soit au travail, à la maison ou dans les loisirs. Par exemple, le *palming* est tout indiqué pour les gens qui se sentent régulièrement fatigués, qui ont des maux de tête ou dont les tâches requièrent beaucoup de concentration. Voici une façon simple de pratiquer cette technique d'automassage rejoignant les principes de l'acupression et tirée du livre d'Elizabeth Wilson :

- Plier les coudes et les appuyer sur une table. Placer les mains en forme de coupe (en collant ensemble les côtés intérieurs des mains le long des auriculaires) et y enfoncer le visage. Se laisser envelopper par l'obscurité et conserver la position aussi longtemps qu'elle est confortable.

- Placer les pouces à la naissance de chaque sourcil et déplacer les index le long de la bordure supérieure des sourcils en exerçant des pressions à intervalles réguliers. Faire la même chose en plaçant un index à la naissance de chaque sourcil et en déplaçant les pouces le long de la bordure inférieure des sourcils.

- Placer chaque pouce sous le lobe d'une oreille et appuyer. En même temps, placer les index au haut de la voûte nasale et les déplacer le long de la crête formée par l'orbite en exerçant une pression sur plusieurs points.

- Joindre le bout des doigts au milieu du front, sur une ligne imaginaire allant de la racine du nez à la naissance des cheveux, sans exercer de pression. Avec les pouces, appliquer une pression sur plusieurs points des tempes en allant du bord extérieur des sourcils à la naissance des cheveux. Répéter ce mouvement quatre fois.

- Avec les pouces, appuyer *délicatement* sur le creux situé sur la crête de l'orbite, sous le bord inférieur des sourcils.

- Laisser tomber la tête en avant, lever les bras et, avec les pouces, suivre le contour de la boîte crânienne en allant du haut de la colonne vertébrale au-dessous des lobes d'oreilles. Répéter ce mouvement quatre fois.

Bien s'oxygéner est essentiel pour être en forme et se sentir détendu. Voici une technique de respiration complète qui procure un état de détente tout en donnant de l'énergie, puisqu'elle nourrit les systèmes nerveux (parasympathique), digestif et cardiovasculaire. En effet, les gens stressés et fatigués ont souvent en commun une respiration très rapide et superficielle, qui ne gonfle que le haut des poumons. L'objectif est donc de s'entraîner à réapprendre à respirer, à descendre l'air inspiré vers le bas, jusque dans le ventre. En gymnastique chinoise, on appelle le point ultime de la respiration le *dan tian* (situé à mi-chemin entre le nombril et le pubis). La respiration abdominothoracique ou « respiration bien-être », créée par le médecin et ostéopathe français Pierre Pallardy, peut se pratiquer n'importe où, que ce soit à la maison, au travail, dans la voiture ou l'autobus, ou encore dans une salle d'attente. Elle nous ramène aux bonnes habitudes naturelles de respiration des nouveau-nés. Après cinq secondes d'inspiration, les endorphines sont sécrétées, ce qui éloigne la fatigue, l'anxiété et la déprime. Cela aide en outre à développer l'odorat, et on sait que les odeurs peuvent faire ressurgir des souvenirs très agréables, grâce au cerveau primitif.

Suivez les étapes ci-dessous une à la fois. Lorsqu'une étape est maîtrisée, passez à la suivante.

- Gonfler le ventre (sous le nombril) et rentrer le ventre (10 répétitions 2 fois par jour).

- Inspirer par le nez de 2 à 3 secondes en gonflant le ventre et expirer par le nez de 2 à 3 secondes en rentrant le ventre (10 répétitions 3 fois par jour).

- Une main sur le ventre et une main sur la poitrine, inspirer par le nez de 3 à 4 secondes en gonflant le ventre et prolonger l'inspiration de 2 à 4 secondes supplémentaires en ouvrant la cage thoracique, puis expirer de 6 à 8 secondes en rentrant le ventre (3 répétitions 5 fois par jour).

- Version finale : inspirer par le nez de 6 à 8 secondes en gonflant d'abord le ventre, puis la cage thoracique (ce qui peut faire rentrer légèrement le ventre), puis retenir la respiration 1 ou 2 secondes, et expirer doucement par le nez de 6 à 8 secondes. Pratiquer d'abord en 5 respirations toutes les heures, puis au besoin. Cette séquence complète ne dure qu'une minute et demie.

Tout en se concentrant sur sa respiration, on peut y jumeler des exercices de visualisation. Par exemple, on inspire «l'inspiration» pour une vie meilleure et on expire les tracas, les tensions et les conflits.

Avant le coucher, une autre façon de se détendre consiste à se faire des automassages de la tête, des mains, des pieds, et particulièrement du ventre, afin de stimuler la digestion (pas immédiatement après un repas, il est préférable d'attendre quelques heures). Les mouvements doivent se faire en douceur. Il s'agit d'abord d'effleurer en gestes circulaires avec la main (paume et doigts), puis de frotter et de pétrir la région plus énergiquement avec la main complète. On peut aussi effectuer des vibrations avec les mains. Une dizaine de minutes sont suffisantes, et l'huile n'est pas nécessaire. Le massage doit s'accompagner d'une respiration abdominothoracique. Pour une description complète des techniques, vous pouvez consulter les ouvrages de Pierre Pallardy.

On peut même faire des exercices de détente en famille, avec les enfants. Il s'agit d'utiliser des techniques plus visuelles ou concrètes, telles que:

- bercer un ourson au son de la musique pendant deux minutes;
- s'étirer comme une girafe, un arbre, ou tenter de toucher les étoiles ou les nuages;
- respirer: inspirer une fleur imaginaire ou des savons, expirer en soufflant sur une plume, très doucement, avec le nez ou la bouche;
- contracter les muscles avec une boule éponge et relâcher, etc.
- écouter une visualisation guidée telle que *Voyage au pays de Naréha*, un merveilleux produit québécois.

Le sommeil

Quelle est la dernière fois que vous avez eu une bonne nuit de sommeil récupérateur? Savez-vous de combien d'heures de sommeil votre corps a besoin? La réponse à cette dernière question n'est pas simple, mais peut-être l'avez-vous déjà découverte ou obtenu des indices à la lecture du premier chapitre. À titre d'information, sachez que les deux tiers des Canadiens adultes dorment entre sept et huit heures par nuit. Un cinquième dort moins de six heures et un dixième en dort plus de neuf[7]. Quelques rares personnes se sentent bien avec seulement quatre ou cinq heures de sommeil, alors que celles qui en dorment huit sont souvent encore fatiguées au lever. Un indice du manque de sommeil peut se remarquer si vous vous reprenez la fin de semaine en vous levant beaucoup plus tard pour récupérer. Un autre indice est de somnoler pendant les réunions, les conférences, les spectacles ou dans l'autobus.

Différents éléments peuvent perturber le sommeil : l'insomnie, les troubles digestifs, un dysfonctionnement thyroïdien, l'apnée du sommeil (arrêt momentané de la respiration), la narcolepsie (perte de tonus musculaire ou sommeil soudain et irrépressible en cours de journée), la caféine, l'alcool, plusieurs médicaments, le tabac, la dépression, les enfants, le conjoint qui ronfle, une pièce trop chaude ou trop froide, la ménopause, etc. Votre médecin peut vous aider à déceler les causes de votre mauvais sommeil. En cas de doute ou de problème plus spécifique à cerner, il existe des laboratoires et des cliniques du sommeil, comme celle de l'Hôpital du Sacré-Cœur de Montréal. Une bonne évaluation mène plus précisément à une bonne solution, celle qui vous convient. Si vous pensez avoir besoin d'une aide extérieure pour dormir pendant une période délimitée dans le temps, un spécialiste de la santé peut vous guider en vous proposant divers produits synthétiques ou naturels, comme la mélatonine qui semble faire ses preuves pour régulariser les cycles du sommeil, entre autres en stimulant le système nerveux parasympathique associé au calme et à la récupération. La camomille et la valériane sont aussi des plantes qui peuvent favoriser un sommeil tranquille. En outre, certains exercices orientaux pratiqués en soirée peuvent engendrer une nuit récupératrice. En effet, le yoga, le tai chi, le Qi Gong ainsi que l'acupuncture offrent des solutions tout en douceur. Je vous recommande vivement de consulter un spécialiste, un instructeur qualifié ou encore un bon livre pour en savoir davantage à ce sujet. En ce sens, l'ouvrage du Dr Dae mentionné

---

7. R. N. Podell, *Docteur, pourquoi suis-je si fatiguée ?*, 1988.

dans la bibliographie constitue une lecture intéressante, car les exercices qui y sont décrits pour favoriser le sommeil sont clairement illustrés.

Sachez que pour les adultes, le cycle éveil-sommeil se répète environ toutes les 90 minutes. Au cours de cette période (plus courte chez les bébés), le sommeil profond alterne avec le sommeil paradoxal, pendant lequel les rêves travaillent à trier l'information et le système nerveux se régénère. Les cycles expliquent également la durée de certaines insomnies. Plutôt que de tourner dans son lit et d'anticiper la perte de sommeil, il est préférable de se lever, de lire dans une autre pièce que la chambre, de dresser la liste de ses préoccupations, jusqu'à ce que le sommeil nous regagne naturellement. En ce sens, il est important de ne réserver la chambre que pour dormir et partager l'intimité avec son conjoint, jamais pour travailler ou écouter la télévision. Pour s'endormir, il existe différents trucs qui chassent les pensées anxiogènes. Par exemple, vous pouvez tenter de trouver un mot pour une catégorie donnée, pour chacune des lettres de l'alphabet. Que ce soit des noms de filles, des qualités, des villes, les possibilités sont très nombreuses.

Dans votre recherche d'un bon sommeil, il est important de prendre connaissance de votre rythme biologique tel que nous l'avons vu au chapitre 1. Certains sont plus énergiques le soir, d'autres le matin. Aussi, la clé des bonnes habitudes de sommeil réside dans la régularité. Cela veut dire qu'il n'est pas recommandé de se coucher beaucoup plus tard les fins de semaine. En fait, se coucher et se lever à la même heure tous les jours est un meilleur gage de repos. Les gens qui ont des horaires de travail variables (les quarts) ou qui voyagent beaucoup dans des zones de décalage horaire ont tout un défi à relever, et leurs cas dépassent l'objet de ce livre. Pour certaines personnes, prendre des vacances peut s'avérer être le seul moyen de retrouver de saines habitudes de sommeil. Mieux, envoyer ses enfants en vacances chez leurs grands-parents ! En observant la durée de la nuit naturelle, c'est-à-dire sans réveille-matin, vous découvrirez peut-être même que vous dormez trop, ce qui peut expliquer la fatigue autant que le manque de sommeil. En général, se lever tôt le matin a plus de chances d'induire une bonne nuit le soir venu que de se prélasser au lit en tentant vainement de rattraper le sommeil manquant. Cela nuit à la circulation de l'énergie. Il vaut mieux se lever, prendre un bon verre d'eau, faire la salutation au soleil (figure de yoga) ou des étirements, manger un morceau de chocolat noir, prendre une bonne douche et un déjeuner protéiné et vitaminé. Quel début de journée inspirant, n'est-ce pas ! À troquer contre la tasse de café et le croissant trop gras ingurgités en lisant le journal du matin...

Enfin, la sensation d'un sommeil réparateur vient non seulement de la façon dont le sommeil s'est installé en début de nuit, mais aussi de la façon dont le sommeil a été interrompu. Avez-vous été réveillé en plein milieu d'un cycle par un objet qui s'est fracassé, la sirène d'un véhicule d'urgence dans votre rue, un enfant qui pleure ou un réveille-matin à l'alarme criarde ? Si c'est souvent le cas, vous avez au moins le contrôle sur votre réveille-matin. Vous pouvez vous doter d'un mo-dèle qu'on peut programmer avec un son plus agréable provenant de la radio ou de votre musique préférée (CD, MP3). Aussi, il a été dé-montré par des études sur la luminothérapie qu'un réveil naturel par une lumière progressive qui s'installe dans votre chambre agit de fa-çon très douce sur le cerveau pour mettre le corps en état d'éveil et d'énergie. Des appareils sont ainsi vendus sous le terme de simula-teurs d'aube[8] (*dawn simulator*).

Le rire et le plaisir

*« Le rire c'est comme les essuie-glaces,
ça n'arrête pas la pluie, mais ça permet d'avancer. »*

Gérard Jugnot

Le rire et l'humour sont aussi des soupapes très efficaces contre le stress. Savez-vous que lorsqu'on rit, l'air est expulsé de nos poumons à 120 km/h[9] ? Le rire provoque la sécrétion d'endorphines, dont les propriétés analgésiques réduisent la douleur, et la sécrétion de séroto-nine, qui peut diminuer l'anxiété et la dépression. Aussi, le rire améliore

---

8. David Servan-Schreiber, *Guérir le stress, l'anxiété et la dépression sans médica-ments ni psychanalyse*, 2003.

9. Selon le site www.yogadurire.com.

le sommeil, la détente, la digestion ainsi que le système cardiovasculaire et le système immunitaire, renforce les muscles, favorise la circulation sanguine, la circulation d'oxygène et l'élimination des toxines. Tout ça est gratuit et contagieux ! On serait fou de s'en passer, n'est-ce pas ?

L'autodérision, ça fait tellement de bien. Ce n'est pas naturel ou facile pour tous, mais ça s'apprivoise. Pour tenter l'expérience, commencez par raconter vos pires gaffes comme si vous étiez un apprenti humoriste qui s'agite devant un auditoire virtuel. Si vous vous sentez tout à coup plus dégourdi, vous pouvez peut-être vous inscrire dans une soirée de karaoké. Rien de tel pour dégeler les gros egos !

Si chaque jour suffit sa peine, chaque jour devrait aussi comporter son lot de petits ou grands plaisirs. C'est important de prendre quelques semaines de vacances pour décrocher davantage de façon régulière au cours de l'année. Mais, au quotidien, pimenter sa vie de quelques instants de plaisir est également très bénéfique. Alors, qu'attendez-vous ? Pas les prochaines vacances, j'espère ? Pas votre retraite, quand même ? !

Au-delà de l'exercice physique et de la détente, certaines activités nous procurent tout simplement de l'agrément. Il existe une panoplie d'activités qu'on peut s'offrir, juste pour se faire plaisir, comme les jeux de société entre amis, les sudokus, le cinéma, le billard, la lecture d'un bon roman ou d'une bande dessinée, l'artisanat, l'observation d'oiseaux (avec ou sans un club d'ornithologie). Un soupçon d'« égoïsme » bien placé n'a jamais tué personne, d'autant plus que ça permet souvent d'être mieux disposé à partager sa bonne humeur par la suite. En effet, il a été démontré que le plaisir, même provenant d'un simple geste, libère des endorphines dans le cerveau, cette fameuse hormone qui procure un sentiment de bien-être et qui favorise la santé et la créativité. Pour une liste très complète (mais jamais complètement exhaustive), laissez-vous inspirer par les nombreuses idées compilées à l'annexe 2 afin d'introduire des doses de plaisir dans vos journées. D'ailleurs, je vous mets au défi de vous laisser aller à la spontanéité. Comment ? Eh bien, vous aviez certainement prévu encore quelques minutes à votre horaire pour lire la suite de ce chapitre. Je vous invite donc à mettre votre signet ou votre marque-page ici et à consulter immédiatement cette annexe. Parcourez la liste rapidement et choisissez un petit plaisir pour occuper le temps dont vous disposiez pour cette lecture. Je vous souhaite une bonne dose d'endorphines jusqu'à la reprise de ce chapitre. (Comme le disent certains publicistes : « Vous le méritez bien ! »)

Développer la cohérence cardiaque ou l'intelligence intuitive du cœur : comment faire ça ?

Des chercheurs américains basés en Californie ont découvert qu'une des meilleures façons de rester en santé et de vivre une vie calme et harmonieuse repose sur le cœur. En effet, le cœur est un organe « intelligent » qui envoie des milliers de messages au cerveau, ce qui détermine en grande partie nos états physiques et émotionnels. De façon simple, ils ont découvert que les émotions négatives sont associées à une rythmique plus chaotique, ce qui entraîne la sécrétion de cortisol, l'hormone du stress responsable des symptômes physiques répertoriés au début de ce chapitre. Ainsi, dès que nous ressentons de la colère, de la frustration, de l'injustice, de la jalousie, de la tristesse, des soucis, de l'anxiété, etc., le cœur réagit et envoie des ondes magnétiques néfastes sur tout le corps et même sur notre entourage. À l'opposé, lorsque nous laissons place aux sentiments d'amour, de reconnaissance, de pardon, de sollicitude, le rythme cardiaque développe une cohérence, ce qui amène le cerveau à libérer des hormones protectrices pour le système immunitaire.

Un cœur en santé présente une grande variabilité dans les battements cardiaques. Lorsque les battements deviennent trop réguliers, c'est un signe de souffrance fœtale pendant la grossesse. Chez l'adulte, la régularité s'installe souvent quelques mois avant la mort. Un cœur en santé présente aussi de la cohérence, c'est-à-dire qu'il possède tant un bon accélérateur (système sympathique) pour réagir en cas de besoin qu'un bon frein (système parasympathique) pour se détendre. En vieillissant, nous perdons 3 % de variabilité par année, souvent à cause d'une trop grande utilisation de l'accélérateur et parce que nos freins ne sont plus aussi efficaces pour revenir à un état de relaxation.

Pour atteindre l'état de cohérence cardiaque, la première étape consiste à tourner son attention vers l'intérieur de soi. On prend des respirations lentes et profondes, en se concentrant sur son souffle tout au long de l'expiration et en faisant une pause de quelques secondes avant que l'inspiration suivante se déclenche d'elle-même. Après 10 ou 15 secondes, on porte son attention vers la région du cœur dans la poitrine. On s'imagine qu'on respire *à travers* le cœur, naturellement, sans forcer. On imagine que l'inspiration apporte l'oxygène au cœur et que l'expiration l'aide à se débarrasser des déchets, comme si le cœur se lavait dans un bain d'air pur. On se concentre ensuite sur la sensation de chaleur et sur la gratitude pour cet organe lié à l'amour qu'on vit. Il suffit souvent de se remémorer une image de la nature, un événement heureux, la douceur de son chat, le sourire d'un enfant qu'on aime... Des études ont démontré que le fait de se placer dans cet état serein améliore le système immunitaire jusqu'à six heures plus tard. À l'opposé, les sentiments de colère amènent un bouleversement cardiaque et diminuent la sécrétion des immunoglobulines A pendant six heures, diminuant ainsi la résistance aux infections[10]. Pensez-y, la prochaine fois que vous voudrez «chialer» contre votre conjoint ou lorsque la rage au volant s'emparera de vous, vous serez le premier perdant!

La bonne nouvelle est donc qu'on peut développer la cohérence cardiaque par un peu de pratique, de façon à en ressentir les bienfaits tout au long de la journée. Voici un exercice basé sur cette approche. Il s'agit du *Cut-Thru*, qui signifie «traverser»:

- Prenez conscience de ce que vous ressentez au sujet d'une situation (stress ou autre);

- Focalisez-vous sur le cœur et sur le plexus solaire (situé au niveau du diaphragme, entre le sternum et le nombril), inspirez de l'amour et de la reconnaissance dans cette zone pendant 10 secondes ou plus, pour bien y ancrer votre attention;

- Faites comme si vous étiez objectif à propos de la situation ou de la question, comme si c'était le problème de quelqu'un d'autre;

- Passez au neutre dans votre cœur rationnel et mûr;

- Imprégnez de compassion toute émotion en dissolvant peu à peu sa gravité. Prenez le temps d'accomplir cette étape, il n'y a aucune limite de durée. Ce n'est pas tellement le problème qui cause une fuite d'énergie, mais plutôt l'importance que vous lui accordez;

---

10. David Servan-Schreiber, *Guérir le stress, l'anxiété et la dépression sans médicaments ni psychanalyse*, 2003.

• Après avoir extrait du problème autant de gravité que possible, demandez sincèrement, du fond de votre cœur, une intuition ou des conseils appropriés. Si vous n'obtenez pas de réponse, trouvez quelque chose pour lequel vous êtes reconnaissant pendant un moment. La reconnaissance facilite souvent la clarté intuitive pour des questions sur lesquelles vous travaillez[11].

Pour développer plus facilement la cohérence cardiaque, il peut être très aidant et très utile d'observer les variations du rythme cardiaque à l'aide d'un moniteur. Grâce à un système informatique très simple, on peut observer en direct l'activité cardiaque. Quelques séances d'entraînement avec un intervenant qualifié peuvent suffire pour maîtriser la technique sans équipement, et votre vie peut en être transformée. Moins d'émotions négatives, de stress, de douleur physique, et plus de bien-être. Il est même possible de développer l'intelligence du cœur avec les enfants et les adolescents par le biais de jeux et d'activités (voir le chapitre 5 pour des ressources et des références). Les enfants sont justement un modèle extraordinaire pour apprendre à vivre au jour le jour. Tentons de les imiter.

Vivre pleinement le moment présent

L'un des meilleurs trucs contre le stress qu'il m'a été donné d'essayer est pourtant tout simple. On se le fait répéter tellement souvent ! Il consiste à profiter pleinement de chaque instant, surtout lorsqu'il s'agit de moments plaisants. Pour ce faire, on tente de compartimenter tous les aspects de sa vie pour que l'un n'interfère pas avec les autres. En d'autres termes, lorsqu'on donne le bain à ses enfants, on s'amuse avec eux et on leur donne du temps de qualité plutôt que de préparer mentalement sa réunion du lendemain. On ferme le compartiment «réunion de bureau» et on ouvre le compartiment «bain des enfants». Ces précieuses étapes de leur vie ne reviendront pas. Aussi, lorsqu'on fait l'amour, on ne le fait pas à moitié, en planifiant les repas de la semaine. Bref, chaque chose en son temps. En profitant ainsi de chaque minute de plaisirs tout simples, il reste bien moins de temps pour s'inquiéter de ce qui «pourrait arriver». Aussi, il est important, pour la

---

11. D. Childre et H. Martin, *L'intelligence intuitive du cœur*, 2005.

santé, de ne pas lire ou encore moins de travailler en mangeant et idéalement dans les 20 minutes qui suivent. Enfin, pour s'endormir le soir venu, quoi de mieux que de se concentrer sur une respiration profonde et de sentir son corps se caler dans le matelas, ce qui libère l'esprit et le prédispose à un sommeil plus réparateur. Par contre, cela n'empêche pas de combiner des activités pour gagner du temps, dans la mesure où celles-ci n'exigent pas trop de concentration. Par exemple, comme nous l'avons vu dans le chapitre consacré à la gestion du temps, il est possible de tenter de trouver des solutions à un problème ou de penser à la liste de cadeaux de Noël des enfants tout en passant l'aspirateur ou en récurant un chaudron. À moins que les tâches domestiques ne représentent pour vous un vrai bonheur... ou une occasion de faire le vide.

Pour la majorité des adultes, le côté cérébral et analytique (l'hémisphère gauche du cerveau) est sollicité de façon disproportionnée par rapport à son voisin de droite qui représente le côté plus artistique et intuitif. En effet, même après une journée de travail de bureau, on se rassoit devant l'ordinateur pour payer des comptes, aider les enfants à faire leurs devoirs ou encore devant le téléviseur pour écouter les nouvelles ou des jeux télévisés ; même en jouant à des jeux de société, notre tête est constamment sollicitée. Pour mettre le cerveau gauche au repos de façon régulière, il importe de se trouver une activité qui nous ramène au corps ; par exemple la danse, le yoga, le tai chi, le jardinage, cuisiner du pain maison ou même faire l'amour... Cependant, si la tête demeure trop active pendant ces activités (on compte les pas, les respirations, on coordonne les mouvements, on calcule les ingrédients, oups, c'est raté !), on peut tenter d'aller encore plus loin dans l'évasion. Faire de la poterie, colorier des mandalas, improviser une danse sur de la musique zen ou des bruits de nature... certaines activités ne demandent aucune réflexion et libèrent le corps de ses tensions, presque comme une séance de méditation. C'est très salutaire, particulièrement pour les gens qui ont un travail plutôt intellectuel.

Je vous suggère aussi de retrouver votre cœur d'enfant en vous inventant une danse ou une comptine du bonheur. Comme les aborigènes faisaient la danse du soleil et la danse de la pluie, je vous propose une danse du réveil qui vous mettra de bonne humeur tous les matins, et au besoin au cours de la journée. Cette danse peut consister en différents mouvements comme imiter un singe, un canard, du hula-hoop, ou tout simplement faire devant le miroir des pitreries, grimaces ou gestes qui vous font sourire. Vous pouvez accompagner cette chorégraphie de votre cru par une comptine inventée de toutes pièces ou en empruntant un air connu tel que *Y'a d'la joie, Ça va bien* ou *Don't Worry Be Happy*. Je vous le jure, avec ça, c'est impossible de ne pas commencer la journée du bon pied!

Mais si votre journée se gâte en cours de route, peut-être gagneriez-vous à faire un grand ménage dans vos pensées. C'est ce que je vous propose à la rubrique suivante.

Le contrôle et les standards inatteignables: à la poubelle!

Vous arrive-t-il parfois de dire: «Il faut que je fasse ceci, il faut que je fasse cela»? Une fois par semaine ou plusieurs fois par jour? Soyez honnête! On se crée souvent des obligations dont une bonne partie est inutile. Par exemple, nous sommes le 12 décembre (déjà!) et depuis une semaine vous vous répétez régulièrement: «Il faut que j'achète mes cartes de Noël, il faut que je les prépare bientôt pour que les gens les reçoivent à temps pour Noël, il faut que j'imprime des photos des enfants pour mettre dans mes cartes de Noël...» Ça fait beaucoup de pensées qui occasionnent un stress grandissant au fur et à mesure que les journées passent car, évidemment, en cette période particulièrement occupée, vous n'avez jamais le temps de vous occuper de ces fameuses cartes. Mais pourquoi «faut-il» envoyer ces cartes? Parce que c'est la tradition, on le fait chaque année... Ces arguments ne tiennent pas tellement la route. Qu'est-ce qui se passerait si vous n'envoyiez pas de cartes de Noël cette année? Petite déception de vos parents et amis? Qu'adviendrait-il si vous envoyiez plutôt une carte de bonne année, vers la mi-janvier, au moment où la cohue des fêtes est passée? Vous en ferez sourire plus d'un avec cette approche moins traditionnelle et, en plus, vous aurez pu acheter vos cartes en réduction *après* le temps des fêtes!

Selon Albert Ellis, psychologue américain pionnier en ce qui a trait au lien entre les pensées et les émotions, il existe trois sortes de «devrait»: ceux qui concernent la réussite («Je dois réussir dans ce que j'entreprends, sinon je ne vaux pas grand-chose»), ceux qui concernent l'acceptation («Les gens devraient me comprendre, m'accepter, m'aimer») et ceux qui concernent la justice («Le monde devrait être juste»). Souvent, ces croyances sont inculquées dans les premières années de notre vie par les adultes qui s'occupaient de nous et qui croyaient bien faire. Pourtant, en se disant que «ça devrait être comme ça», on se soumet à une dose de stress inutile lorsque justement «ça n'est pas comme ça», c'est-à-dire la plupart du temps. Donc, la première étape serait de détecter ces «devrait» qui ponctuent notre discours intérieur, puis de les modifier avec une affirmation qui colle à la réalité, sans jugement outrancier.

Un truc puissant pour modifier ses standards et la pression qui l'accompagne est tout simplement de changer la façon d'exprimer nos attentes. Donc, la prochaine fois que vous vous direz «Je *dois* faire cela» ou «Je *devrais* faire cela», tentez plutôt de dire «Je *pourrais* faire cela». Imaginez le poids qui disparaît de vos épaules! De la même façon, remplacez «Il faut que» par «Je *voudrais* que». C'est incroyable la différence dans le degré d'anxiété suscité par chacune de ces phrases. Dans le second cas, on se donne la liberté de le faire ou non, et une fois la pression partie, on a beaucoup plus d'énergie pour agir et accomplir ce qu'on souhaitait faire.

Si cette transition s'avère difficile pour vous, faites un exercice de jeu de rôle. Imaginez-vous, par exemple, que votre meilleur ami vous dit qu'il est épuisé, qu'il se sent submergé par ses obligations (les fameux «devrait»). Que lui proposeriez-vous? Peut-être de *lâcher prise*, de demander de l'*aide* ou d'exiger *moins de perfection* dans certains domaines de sa vie. Si ces tactiques sont bonnes pour les autres, alors pourquoi pas pour vous? Donc, pour les adeptes du recyclage, au lieu de jeter le contrôle à la poubelle, transformez-le en «acceptation de la différence» et transformez les standards élevés en «satisfaction malgré l'imperfection».

Trucs divers

Voici quelques stratégies supplémentaires que vous pouvez intégrer à votre vie si elles vous plaisent, afin de retirer du bien-être, d'évacuer le surplus de stress pour éviter qu'il s'accumule et de préserver le plus possible votre santé.

Écouter son corps

Apprendre à lire et à comprendre les signes que nous envoie notre corps est un art qui s'acquiert. Variations d'humeur, sommeil troublé, courbatures, les signaux d'alarme peuvent prendre des formes très variées. Certaines personnes sont naturellement plus à l'affût de leurs tensions, de leurs douleurs et de leur sensibilité. Pour d'autres, cela demande un plus grand effort d'observation. Il semble que notre corps ait besoin d'utiliser régulièrement les cinq sens (vue, toucher, ouïe, goût, odorat). Aussi, on se doit d'apprendre à vérifier régulièrement nos limites et, surtout, à les respecter.

Adopter une routine saine

Tentez de trouver un rituel de transition entre la vie professionnelle et la vie personnelle. Pour ceux qui ont à voyager de longues minutes entre un lieu et un autre, c'est le moment idéal. Choisissez une petite activité simple qui vous permet de passer d'un état d'esprit à un autre, comme chanter, prier, écouter de l'humour. Pour ceux qui travaillent à la maison ou très près du domicile, le rituel peut prendre une tout autre forme : un frappé aux fruits, un thé, une courte séance d'exercices, de yoga, de méditation, de cohérence cardiaque, de tai chi ou de Qi Gong, ou encore noter les aspects positifs de la journée dans un journal de bord, etc. De quoi être davantage d'attaque pour le fameux second quart de soir !

Cultiver la résilience

Le concept de résilience a été créé par le psychiatre et neurologue français Boris Cyrulnik. Il fait référence à la capacité naturelle de certains êtres humains à «retomber sur leurs pattes» et à continuer d'avancer malgré les revers de la vie. Certaines personnes, par exemple des survivants de guerre, ont vécu des choses atroces et sont encore capables de rire et de profiter de la vie. Elles vivent davantage chaque moment comme si c'était le dernier. Alors que d'autres, pour la moindre peccadille, se mettent à broyer des idées noires. Elles gâchent plutôt leur vie comme si elle était éternelle ! La différence entre ces deux extrêmes, c'est l'attitude. Les gens résilients choisissent consciemment de voir le bon côté des choses, de voir le verre à moitié plein. La bonne nouvelle, c'est que cette habileté peut se développer chez ceux qui ne l'ont pas naturellement, entre autres, grâce à la gratitude dont nous parlerons au chapitre 4. Un bon exercice à cet effet consiste à prendre l'habitude, pour chaque événement que vous percevez comme négatif (en allant d'un ongle cassé à une perte d'emploi), de trouver de trois à cinq éléments positifs qui découlent de cette situation. Les plus résilients sont même parfois capables d'en trouver dix. Je vous mets au défi!

Faire attention à votre posture et à votre apparence

Un fait plutôt méconnu, c'est qu'une bonne posture est très importante; en effet, le corps requiert cinq fois plus d'énergie pour se tenir voûté que droit! Incroyable, n'est-ce pas? En position debout, pensez à rapprocher le nombril de la colonne vertébrale. En position assise, les cuisses et le dos doivent être à 90 degrés, de même que les genoux. Il est recommandé de surélever les pieds avec un repose-pied si nécessaire. Pour avoir des conseils personnalisés, une évaluation de votre posture et des exercices de renforcement musculaire, n'hésitez pas à consulter un physiothérapeute, un ostéopathe, un kinésiologue ou un ergonome.

Soigner son apparence, ça aussi fait du bien. Cheveux coiffés, ongles et souliers propres, vêtements bien repassés... On se sent mieux non seulement devant le miroir, mais aussi devant le regard des autres. Il paraît qu'on n'a jamais une deuxième chance de faire une première bonne impression...

«Je note, donc je suis» calme, libre, réceptif...

Aussi, pour vous libérer l'esprit des tracas, ayez à portée de la main en tout temps un carnet où vous pouvez noter au fur et à mesure vos idées, vos préoccupations, la fameuse liste de choses à faire. Attachez-y un petit crayon, et vous serez toujours prêt à écrire, que ce soit au bureau, dans votre sac, en voiture, sur la table de chevet le soir... Esprit dégagé garanti! Un sage a déjà dit qu'on ne devait pas s'en faire pour des banalités, et presque tout est une banalité.

Jouer avec les couleurs et la lumière

Les couleurs semblent avoir un effet sur le corps. Les teintes de jaune et d'orange dynamisent et stimulent la créativité, et sont parfaites pour l'environnement de jour. Les teintes de bleu et de violet calment et favorisent la méditation, et seraient parfaites pour la chambre à coucher. La luminosité est également particulièrement importante, surtout pour ceux qui sont sensibles aux variations saisonnières d'ensoleillement. De plus, toute personne gagne à éviter le stress inutile imposé à ses yeux par un mauvais éclairage.

Les bons comptes font les bons amis

Mettre de l'ordre dans ses finances est un *must* pour ne pas vivre le stress des paiements en retard et le cycle infernal des dettes. Un petit truc simple : adhérer au paiement préautorisé offert par plusieurs institutions financières de façon à régler les comptes des fournisseurs de services récurrents (téléphone, électricité, Internet, etc.). Aussi, pour vivre sans soucis financiers, tous les gourous du domaine suggèrent d'investir 10 % de vos revenus dans des placements à long terme. Par virements automatiques, c'est si simple, et les intérêts composés travaillent pour vous. Pourquoi ne pas l'essayer ? Le plus tôt est le mieux, car les effets des intérêts s'accroissent de façon exponentielle avec les mois et les années. Au besoin, n'hésitez pas à consulter un conseiller financier ou un centre d'économie familiale dans votre région. Une source de stress allégée, ça fait du bien !

Ra-len-tir

Saviez-vous que le fait de rouler seulement de 5 à 10 km/h au-dessus de la vitesse permise augmente sensiblement les risques d'accident et les temps d'arrêt aux feux de circulation synchronisés, tout en ne faisant parfois gagner que quelques maigres secondes ? Saviez-vous que la majorité des couples consacrent moins de 30 minutes par semaine à leurs ébats sexuels ? Dans une société qui prône la vitesse, tentez de cultiver l'éloge de la lenteur. Je vous suggère de décréter qu'une fois par semaine (ou par mois), que ce soit pendant une journée ou une heure, on fait tout plus lentement. Manger, parler, respirer... On enlève sa montre et on laisse le temps couler sans se préoccuper des secondes qui passent. Quel soulagement ! Pendant ces périodes, vous verrez qu'il devient plus facile de promouvoir quatre de nos cinq sens sous-exploités : l'ouïe (belles musiques, bruits de fontaine, etc.), l'odorat (fleurs, mijotés, pâtisseries, etc.), le goût (chocolat noir, noix, fruits exotiques, vin, etc.) et le toucher (caresses, effleurements avec plumes, massages, etc.). Les yeux fermés, c'est encore mieux ! Cela vaut aussi pour les enfants, qui ont parfois des horaires surchargés, entre leurs examens et travaux scolaires et leurs multiples activités parascolaires. «Tant de jouets, et si peu de temps...[12]»

Élever son esprit

Beaucoup d'auteurs qui s'intéressent à la santé et au bien-être suggèrent d'intégrer des éléments de spiritualité dans sa vie. En effet, croire à une puissance supérieure et donner un sens à sa vie prédisposent au bonheur. Il existe différentes façons d'alimenter sa vie spirituelle. Prendre le temps de réfléchir, soit de façon formelle comme dans la méditation ou les retraites de quelques jours dans un sanctuaire, soit de façon informelle comme on peut le faire en marchant dans la nature ou en admirant l'immensité d'un ciel étoilé. On peut aussi joindre un groupe à caractère spirituel ou faire des activités qui nous rapprochent des anciennes philosophies de vie (comme le tai chi).

La gestion du temps (eh oui, on y revient encore!) : la métaphore du bûcheron

Pour ceux qui disent qu'ils n'ont pas le temps, pensez à la métaphore suivante relatée par Steven Lovey. Un bûcheron s'acharne sur un arbre depuis trois heures avec une vieille scie ébréchée. Pensez-vous qu'il gagnerait du temps à prendre 10 minutes pour aiguiser son outil (dans notre cas, notre corps), ce qui lui permettrait de terminer son travail plus rapidement par la suite? Bien sûr que oui! Donc, *prendre du temps pour prendre soin de soi équivaut à gagner du temps* pour faire autre chose puisqu'on gagne en efficacité, en vitesse et en qualité. Il n'y a donc pas de plus bel investissement à faire, et ce, sans culpabilité.

Prendre des vacances ou des journées de congé pour offrir à son corps une période de repos, ce n'est pas du luxe, c'est une nécessité. Pour bien s'occuper des autres, il faut d'abord penser à soi. Rappelez-vous la consigne dans les avions qui dit qu'on doit mettre son propre masque à oxygène avant celui de nos enfants à qui on tient plus qu'à la prunelle de nos yeux. Cela illustre bien le principe que les gens qui s'ignorent finissent par s'épuiser et par être moins efficaces ou agréables pour leur entourage.

---

12. C. Honoré, *Éloge de la lenteur*, 2005.

Pour s'occuper de soi-même adéquatement, il est donc nécessaire de réserver du temps pour soi dans son horaire, au même titre qu'un rendez-vous important. De la même façon que vous ne négligez pas l'entretien périodique de votre voiture (vidange d'huile, changement de pneus, etc.), vous devez entretenir votre corps. Vous n'en avez qu'un pour tenir la route tout au long de votre vie. Pour les gens surchargés et habitués de l'être, les premiers rendez-vous peuvent n'être que d'une minute. Au fur et à mesure que le réflexe s'acquiert, on prolonge les pauses plaisir ou les pauses détente graduellement: 10 minutes, 30 minutes, 90 minutes, une demi-journée, une journée... Les pauses plus longues peuvent être occasionnelles, mais il semble que 20 minutes par jour (à heure fixe si possible) soit un minimum à respecter.

L'ultime soin de soi, c'est bien sûr de se donner rendez-vous pour faire quelque chose qu'on aime (sport, lecture, magasinage, cinéma, massage, soins esthétiques, etc.) pendant une journée complète, au moins quatre fois par année. Pour que cette journée soit efficace, selon Nathalie Francisci, présidente de Venatus Conseil, elle doit absolument coïncider avec un jour de semaine ouvrable et non une journée fériée ou pédagogique avec les enfants[13].

Parfois, s'occuper de soi peut aussi se faire en jumelant l'utile à l'agréable (par exemple, aller chercher les enfants à l'école à pied). Au quotidien, ça peut aussi vouloir dire qu'on éteint son cellulaire à 17 h 30 et qu'on ne prend pas ses courriels après 20 h. Si vous ne mettez pas vous-même l'interrupteur «travail» hors tension, personne ne le fera pour vous!

Bref, si, après avoir accompli toutes vos tâches essentielles (manger, dormir, travailler, s'occuper des autres, etc.), il ne vous reste que 30 minutes par jour pour vous-même, vous avez le choix: soit vous le perdez à écouter n'importe quoi à la télévision ou à zapper (avec comme résultat une plus grande fatigue qui s'accumule), soit vous l'investissez en prenant soin de vous (avec les résultats bénéfiques que vous connaissez déjà).

---

13. *Affaires Plus*, mars 2007.

Enfin, si vous pensez que la gestion de votre stress nécessiterait un examen plus approfondi, je vous suggère une excellente lecture qui allie théorie et pratique : *Pour mieux vivre avec le stress* de Stéphanie Milot. En parallèle, n'hésitez pas à en faire part à un psychologue ou à votre médecin qui pourraient aussi vous proposer certaines avenues pour vous occuper de votre santé.

CHAPITRE 4

La communication et la gestion des émotions : l'utilisation d'outils relationnels

*« Lorsqu'on partage des biens matériels, il faut les diviser.
Lorsqu'on partage l'amour, il se multiplie. »*

Auteur inconnu

Maintenant qu'on a amorcé des changements dans notre vie (gestion du temps, gestion du stress), il importe de tenir compte de leur impact sur notre entourage. Aussi, c'est bien beau d'avoir établi nos valeurs et nos priorités, encore faut-il oser vivre en fonction de celles-ci, ce qui peut impliquer de faire des demandes qui paraissent de prime abord inusitées. Par exemple, une dame dans la cinquantaine veut demander une semaine de congé à son patron car son fils et sa bru attendent des jumeaux d'un jour à l'autre et elle souhaite aider les jeunes parents à s'adapter à cette nouvelle situation. Mais elle se dit qu'un « congé de grand-maternité », ça ne s'est jamais vu là où elle travaille ! Cependant, il y a toujours un moyen de formuler une demande de façon à améliorer ses chances d'obtenir une réponse positive et d'éviter ainsi les frustrations.

Il est clair que le soutien social joue un rôle clé dans la gestion du stress. Mais comment votre réseau social peut-il vous soutenir si vous n'en resserrez pas les liens ? Vous courez le risque de tomber dans les trous du filet ! Alors, grâce au présent chapitre, vous obtiendrez des moyens et des trucs concrets pour bien vous affirmer et pour communiquer de façon constructive avec votre entourage.

Le réseau social : où es-tu ?

Le réseau social se compose de toutes les personnes qu'on côtoie sur une base plus ou moins régulière. On peut y inclure évidemment non seulement les membres de la famille et les amis, mais aussi les collègues de travail, les compagnons d'études, les membres de notre club de sport, nos voisins, voire notre coiffeur ou notre esthéticienne. Toutes ces personnes peuvent nous fournir un certain soutien, sous différentes formes : un renseignement utile, de l'aide concrète, de l'argent, de l'écoute, un sourire, etc. L'être humain est un être social qui a besoin d'un certain nombre de contacts humains pour se sentir bien. Ce besoin varie d'une personne à l'autre, tout comme les besoins en calories varient entre un enfant, une femme enceinte et un athlète olympique. Les introvertis ont besoin de moins de contacts, alors que les extravertis y puisent davantage d'énergie. Mais il est clair que l'isolement prolongé n'est bon pour personne. Aussi, il a été démontré que la qualité du réseau social dans une sphère de la vie (par exemple, la vie professionnelle) augmente le degré de satisfaction dans cette sphère (Carlson et Perrewé, 1999).

Si vous avez l'impression que votre réseau est trop restreint, il existe des façons simples de l'élargir. D'abord, vous pouvez vous inscrire à des activités où les gens partagent un même intérêt (comme des cours de photo, de vitrail, etc.). Aussi, faire du bénévolat peut devenir un cadeau précieux pour vous-même : aider les autres amène une bonne source de bien-être et peut contribuer à développer des liens durables. Il a même été démontré que s'occuper d'une plante ou d'un animal peut augmenter la motivation et la satisfaction générale dans la vie.

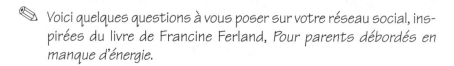 Voici quelques questions à vous poser sur votre réseau social, inspirées du livre de Francine Ferland, *Pour parents débordés en manque d'énergie*.

- À qui puis-je parler ouvertement de ce que je vis dans toutes les sphères de ma vie ?

- Avec qui puis-je discuter des problèmes que j'éprouve avec mes enfants ?

_____

_____

- Qui peut garder mes enfants à l'occasion ?

_____

_____

- Qui peut, au besoin, aller chercher mes enfants à l'école ?

_____

_____

- Qui peut garder les enfants pour me permettre de prendre une fin de semaine avec mon conjoint ?

_____

_____

- Qui peut m'accompagner dans une sortie, une activité pour le plaisir ?

_____

_____

- Qui puis-je appeler à n'importe quelle heure du jour ou de la nuit en cas d'urgence ?

_____

_____

Le fait de dresser cette liste peut être rassurant. Si certaines questions demeurent sans réponse, tentez de développer un plan d'action pour élargir votre réseau social et de trouver du soutien dans la communauté si votre famille et vos amis sont peu disponibles. Une fois votre réseau établi, vous pouvez apprendre à le conserver en bon état en veillant à soigner vos communications.

La communication des émotions : mon entourage m'est précieux, le sait-il ?

Comme les cours d'eau pollués, les relations interpersonnelles peuvent s'assainir d'elles-mêmes si on cesse de les encrasser. En matière relationnelle, on peut utiliser la métaphore d'un compte de banque (même si c'est peu romantique !). Chaque fois que vous agissez selon vos principes et que vous investissez du temps dans une relation, vous faites un dépôt. Faites-en le plus possible car vous allez en retirer des intérêts ; les autres seront plus patients et gentils en retour ! N'oubliez pas que si vous avez un écart de conduite en faisant un geste qui n'est pas cohérent avec vos valeurs, il est souhaitable d'aller vous excuser, car ça diminue partiellement le retrait en compensant automatiquement par un dépôt !

La base de la communication constructive consiste à rester calme et le plus objectif possible. Alors qu'on a le goût de lancer «C'est quoi ton problème ?», il est préférable de décrire la situation avec des faits (par exemple : «Il est 21 h et tu m'avais dit que tu rentrerais à 19 h. C'est la seconde fois cette semaine»), d'exprimer l'émotion (par exemple : «Je m'ennuie en t'attendant et parfois même je m'inquiète») et de terminer avec la demande ou le besoin (par exemple : «J'apprécierais que tu arrives à l'heure dite la prochaine fois ou que tu m'appelles pour me signifier un changement»). Pour que ce message soit bien reçu, il importe également qu'il soit communiqué à la bonne place et au bon moment, tout en utilisant un ton amical. Selon Thomas d'Ansembourg, auteur d'un best-seller sur la communication, la séquence idéale est l'observation neutre des faits (O), l'expression du sentiment vécu (S), l'expression du besoin non comblé (B) et la communication de la demande concrète et négociable (D). Ainsi, l'autre comprend la demande, ne se voit rien imposer injustement et les relations demeurent beaucoup plus harmonieuses.

✎ Nommez une situation que vous aimeriez régler avec quelqu'un et préparez votre message de communication constructive.

(O) : _____

(S) : _____

(B) : _____

(D) : _____

Voici l'exemple d'un homme vivant en famille recomposée, qui avait un différend à régler avec l'un des enfants de sa conjointe :

(O) : « Félix, ça fait plusieurs fois que je retrouve la voiture que tu empruntes pour voir tes amis le vendredi soir avec des taches de jus collé et des sacs de croustilles vides qui traînent à l'intérieur. »

(S) : « Ça me dérange quand je vois ça, car je ne me sens pas respecté et je me sens frustré d'avoir à ramasser tes déchets. »

(B) : « J'aurais besoin que tu me manifestes plus de reconnaissance face au fait que je te prête ma voiture sans même te demander de payer l'essence. »

(D) : « Je te demande donc à l'avenir de faire attention à ramasser tes choses car j'apprécierais beaucoup retrouver ma voiture dans un état plus propre. »

Lorsque les autres ont quelque chose à nous exprimer, on peut aussi les aider en utilisant les questions suivantes : « Que s'est-il passé ? », « Qu'as-tu ressenti (émotions) ? », « Qu'est-ce qui a été le plus difficile pour toi dans cette situation ? », « Qu'est-ce qui t'aide le plus à y faire face ? » et terminer sur une note empathique telle que « Ce doit être dur », « C'est triste ce qui s'est passé, j'en suis désolé pour toi ».

Dans vos échanges et discussions, essayez de penser gagnant-gagnant. Pour ce faire, le premier principe est de toujours laisser l'autre expliquer son point de vue en premier et de l'écouter jusqu'à ce que vous le compreniez bien. C'est aussi important que de bien diagnostiquer avant de prescrire. Après, il sera temps de vous exprimer (en utilisant la forme du «je», en énonçant les faits et les émotions ressenties), car l'autre sera alors devenu beaucoup plus réceptif et vous serez dans un état d'esprit de coopération permettant d'arriver à une bien meilleure solution. En effet, ce ne sera pas uniquement le point milieu entre deux extrêmes (où chacun perd une moitié, donc $1 + 1 = 1/2$), mais plutôt le sommet d'un triangle où on utilise nos différences à bon escient $(1 + 1 = 25)^{14}$.

En somme, selon Koch, les relations interpersonnelles (particulièrement familiales, car elles sont plus intenses) sont teintées par deux sortes de spirales : « Il y a d'abord la spirale descendante. Le bébé hurle, les enfants brisent quelque chose, un gâchis se produit. Les parents stressés réagissent en distribuant les réprimandes ou les punitions. Les enfants se mettent à crier plus fort. Les choses vont de mal en pis. Mais il y a aussi la spirale ascendante. Les enfants sont mignons, audacieux et souriants. Ils adorent apprendre et recevoir de l'attention [...]. Fiers de leurs enfants, les parents leur témoignent de petits gestes d'amour. Les enfants deviennent plus enjoués et plus épanouis, si bien qu'ils obtiennent encore plus d'amour de leurs parents. Ces deux spirales sont présentes dans toutes les familles. Dans les familles heureuses, cependant, les spirales positives l'emportent sur les spirales négatives[15]. »

Bref, pour résumer les principes d'une bonne communication, vous n'avez qu'à vous regarder la tête. J'imagine que vous avez deux oreilles, mais seulement une bouche? Eh bien, ce n'est pas un hasard, c'est pour écouter deux fois plus que vous ne parlez! Un autre bon vieux principe qui tient toujours la route consiste à traiter les autres comme on aimerait l'être soi-même, verbalement du moins. En effet, sur le plan comportemental, il est encore plus profitable de faire ce que l'autre souhaite, en lui demandant tout simplement ses préférences. Par exemple, si vous aimez vous faire jouer dans les cheveux pour vous faire réconforter et que votre conjoint préfère se faire gratter le dos, inutile de lui jouer dans les cheveux. Si votre intention est de le réconforter, grattez-lui le dos. Si votre intention est de vous faire récon-

---

14. Stephen R. Covey, *The 7 Habits of Highly Effective People*, 1989.
15. R. Koch, *Bien vivre le principe du 80/20*, 2007.

forter, demandez-lui simplement de vous jouer dans les cheveux. On ne peut pas tenir pour acquis que les autres apprécient la même chose que soi. Toutefois, sur le plan verbal, je ne connais personne qui aime se faire envoyer promener, d'où l'importance d'apprendre à bien gérer les situations conflictuelles, tant dans la vie personnelle que dans la vie professionnelle.

La gestion des conflits : communiquer sans faire de dégâts

Comme on l'a vu précédemment, la colère est l'émotion la plus nocive sur le plan physique. En effet, elle a été reliée à une plus haute fréquence de troubles coronariens dans plusieurs études[16]. Pour Thomas d'Ansembourg, la colère peut s'exprimer sainement et de façon socialement acceptable en respectant les étapes suivantes :

- Se taire ;
- Accueillir la colère et en accepter toute l'ampleur ;
- Établir le ou les besoins insatisfaits ;
- Déterminer les nouveaux sentiments qui peuvent se manifester ;
- Dire sa colère en utilisant le O-S-B-D (tel que décrit précédemment).

De plus, voici 10 façons constructives de résoudre les conflits (selon le Dr Serge Marquis, spécialiste du stress au travail) :

1. L'écoute active (une personne écoute l'autre, décode son message et reformule ce qu'elle a dit afin de s'assurer d'avoir bien compris) ;
2. L'explication (chacun expose sa position personnelle sur le conflit sans menacer l'autre) ;
3. L'excuse (on dit qu'on est désolé sans pour autant s'accuser d'avoir tort) ;
4. L'alternance (chacun bénéficie des avantages désirés à tour de rôle) ;
5. Le partage (on décide de partager pour en tirer un avantage réciproque) ;
6. Le hasard (on résout le conflit en tirant au sort) ;

---

16. R. N. Podell, *Docteur, pourquoi suis-je si fatiguée ?*, 1988.

7. Le compromis (les parties renoncent à l'une de leurs exigences afin d'en arriver à une solution acceptable de part et d'autre) ;

8. La négociation (chacun communique sa position personnelle au sujet du conflit et on discute ensuite des solutions possibles) ;

9. La résolution de problèmes sans perdant (on établit ses buts et besoins de part et d'autre et on détermine ensemble les façons de les satisfaire) ;

10. La médiation (on consulte une tierce personne pour éclaircir et régler une situation complexe ou trop intense).

Si, après avoir tenté de résoudre une situation conflictuelle, vous ressentez une émotion négative persistante qui prend toute la place et que vous faites payer aux autres le fruit de votre mauvaise humeur, je vous suggère de vous poser une question : « Est-ce que je veux que ma vie ressemble à cela ? » Si la réponse est non, changez votre attitude sur-le-champ et votre journée sera récupérée en un tournemain. Je vous le dis, c'est un truc simple, mais ça fonctionne vraiment !

Une petite touche d'humour bien placée peut aussi contribuer à dissiper les tensions pendant une démarche de résolution de conflit. Attention toutefois à l'état d'esprit de votre interlocuteur et au moment choisi ; la blague mal placée pourrait ajouter de l'huile sur le feu ! L'important est de faire ressortir votre bonne foi et vos bonnes intentions tout au long de l'exercice.

Dans un contexte professionnel, votre style de communication pourrait se voir grandement amélioré par des lectures ou conférences spécialisées portant sur l'intelligence émotionnelle, sur l'influence ou encore sur les fameuses habiletés politiques.

En matière de conflits, rien ne vaut la prévention. Pour permettre à tous de s'exprimer et de proposer des suggestions sur tous les types de situation problématique, il peut être une bonne idée de placer une boîte aux lettres qui facilitera les échanges délicats en milieu scolaire, de travail ou familial.

Enfin, un truc intéressant pour permettre à toute la famille de connaître l'état d'esprit des autres et de faire connaître le sien consiste à utiliser les couleurs des feux de circulation. En effet, dès le réveil, chaque membre de la famille peut choisir la couleur qui représente comment il se sent : vert : ça va très bien ; jaune : c'est moyen, faisons attention ; rouge : ça ne va pas, j'ai besoin de calme, je suis stressé, frustré, fatigué.

Ce code de couleurs, suggéré dans le livre de Claire Pimparé, peut être utilisé dans d'autres circonstances, par exemple dans les écoles pour l'enseignant et les élèves, ou même en milieu de travail. La beauté de la chose, c'est que la couleur peut varier en cours de journée, au gré des événements qui se produisent. On peut même s'amuser à fabriquer son feu de circulation personnel, que ce soit avec des cercles de carton collés à la gommette, ou encore avec des cercles en tissu collés au velcro. Laissez aller votre imagination pour en faire un bricolage agréable et utile pour éviter des conflits, améliorer la patience et ouvrir des canaux de communication si précieux.

Si vos frustrations sont souvent déclenchées par l'éducation des enfants et que vous vous sentez démuni en ce sens, il existe des ressources : livres, coaching parental, lignes d'écoute, etc. (voir «Ressources et références») qui peuvent vous aider à orienter vos actions vers les résultats souhaités. La méthode «CommeUnique», par exemple, qui est donnée par des formateurs accrédités dans plusieurs régions du Québec, est un incontournable pour mieux comprendre le comportement de nos petits trésors. Les ateliers s'adressent tant aux parents qu'aux enseignants et autres professionnels qui veulent améliorer l'impact de leurs communications. Croyez-moi, ça vaut le détour !

Mais on a beau vouloir prévenir, il arrive que les enfants nous donnent le goût de hurler de désespoir et de frustration. Dans la rubrique qui suit, je propose quelques pistes pour les parents à bout de nerfs.

Les enfants récalcitrants : comment gérer les crises et les «crisettes»?

Les lecteurs qui ont des enfants me comprendront : on dirait que c'est chaque fois que nous sommes pressés de partir que nos petits anges cornus se mettent à refuser de s'habiller, de se faire coiffer, de sortir de la voiture, etc. Ça vous rappelle quelque chose? En effet, le 6 à 8 du matin et le 5 à 7 du soir sont des périodes qui peuvent être facilement drôlement énergivores.

Il est certain que chaque enfant a son tempérament inné et que certains sont plus faciles que d'autres. Afin de faciliter la tâche aux parents «chanceux» qui ont mis au monde des «petits défis d'éducation», voici quelques suggestions.

Si la routine du matin est difficile :

- Coucher l'enfant plus tôt pour qu'il (ou en espérant qu'il) se lève plus tôt ;
- Vous lever plus tôt pour vous préparer d'abord (pendant que l'enfant dort) et l'aider ensuite ;
- Le faire déjeuner ou habiller à la garderie ;
- Éviter d'allumer le téléviseur les matins de semaine, laisser plutôt à la disposition des enfants quelques jeux de questions-réponses avec lesquels ils peuvent s'amuser calmement et faire participer la famille en attendant que tout le monde soit prêt ;
- Promettre 5 minutes de jeu (ou autre récompense pertinente) à l'enfant qui sera prêt plus tôt que d'habitude ;
- Utiliser un tableau de motivation avec des pictogrammes pour les tâches de la routine du matin (facile à élaborer, plusieurs modèles sont proposés sur Internet). L'enfant sera fier de cocher lui-même au fur et à mesure ce qui est accompli, et d'obtenir un collant ou autre récompense au moment de partir (à l'heure). À la fin d'une semaine satisfaisante, remettre une surprise ou réaliser une activité encore plus significative ;
- Et rester zen, vos rejetons finiront par adopter un horaire convenable...

Si l'heure des devoirs est difficile :

- S'installer dans un endroit propice (où l'enfant ne sera pas distrait par la télé, par exemple) ;
- Décortiquer la tâche en plusieurs petits objectifs ou sous-tâches et renforcer les efforts au fur et à mesure que l'enfant progresse ;
- Varier les modalités (réflexion, écoute, lecture, création) et les thèmes (mathématiques, français) ;

- Modifier l'horaire des devoirs en fonction du rythme biologique de votre enfant (le matin s'il est plus en forme) ;
- Consulter Allô Prof et son site Internet pour des trucs et des jeux pédagogiques ;
- Embaucher un étudiant en éducation pour superviser l'enfant dans ses devoirs et l'aider quelques soirs par semaine ou sur une base occasionnelle ;
- Et rester zen pour lui donner des chances d'apprécier apprendre et de ne pas se démotiver complètement de l'école.

Si l'heure des repas est difficile :

- Demander de respecter le menu familial (pas de repas spécial pour le petit qui n'aime rien) ;
- Ne pas insister sur les quantités (l'enfant mange ce qui lui convient parmi ce qui est disponible) ;
- Demander de rester à table jusqu'à ce que les autres aient terminé, de façon à partager un moment ensemble ;
- Ne jamais présenter le dessert comme si c'était une récompense (c'est plutôt une étape distincte du repas) ;
- Préparer des collations santé pour faire patienter l'enfant jusqu'au repas suivant (attendre au moins une heure après un repas pour accepter d'en donner une, sinon ça peut devenir un substitut pour le repas refusé par l'enfant) ;
- Et rester zen, les bonnes habitudes alimentaires finissent souvent par refaire surface.

Si l'heure du coucher est difficile :

- Éviter les stimulants (télévision, jeux électroniques) en soirée et privilégier plutôt des activités calmes (jeux de société, cartes à jouer, casse-tête, livres d'histoire, cartes pour inventer une histoire, devinettes, etc.) ;
- Amorcer les préparatifs du coucher par un bon bain avec lavande ou un petit massage relaxant ;
- Poursuivre la routine avec les essentiels : brossage des dents, petit verre d'eau, toilette, câlins ;

- Pour les enfants qui se relèvent constamment, instaurer un système de coupons. L'enfant a droit de se relever pour boire de l'eau, de parler à un parent, de chercher un toutou, etc. – la liste pourrait être longue – seulement s'il utilise un coupon. La quantité hebdomadaire de coupons dépend de vous et des habitudes de vos enfants. Selon mon expérience, entre trois et six coupons par semaine sont amplement suffisants. Vous pouvez commencer par un plus grand nombre et diminuer progressivement la quantité. Il s'agit d'un truc proposé par l'excellente psychologue québécoise Danie Beaulieu, et, dans ma famille, ce fut grandement efficace, surtout lorsqu'on a donné un cent par coupon non utilisé à la fin de la semaine. Les petites tirelires se sont mises à être plus lourdes, pour le grand plaisir de tous ;

- Aussi, pour diminuer les crises du coucher en utilisant le renforcement positif, dire à l'enfant qu'on va aller le revoir lorsqu'il sera calme et le féliciter par un bisou. Rapidement, l'enfant comprendra que ça ne sert à rien de pleurnicher, ses parents lui donnant plutôt de l'attention lorsqu'il est dans une attitude prédisposant le sommeil ;

- Et rester zen, le marchand de sable finira bien par passer.

Enfin, lorsque les petits mousses font des crises pour tout et pour rien, tentez de comprendre le message qui se cache derrière leur comportement. Est-ce possible que l'enfant ait vécu une déception, qu'il ait peur de quelque chose ou qu'il soit tout simplement fatigué ? Dès qu'on prend conscience que la crise n'est pas tournée contre le parent, il est plus facile de demeurer calme et à l'écoute, en posant des questions ouvertes. Parmi les principes à suivre en cas de crise, le premier est de maintenir un ton de voix doux. En effet, pensez-vous qu'il est très crédible et facile pour un enfant de se faire dire d'arrêter de crier par un parent qui est lui-même en furie ? Gardez en tête que vous êtes le premier modèle à suivre pour vos enfants. Ne vous adressez jamais à eux en disant qu'ils ne sont pas corrects, puisque c'est en fait *leur comportement* que vous remettez en question ou que vous jugez inadéquat, pas l'enfant dans son ensemble. Leurs émotions aussi sont légitimes, et nous ne sommes pas dans leur tête pour comprendre et juger de leur pertinence. Plutôt que dire, par exemple : « Tu es vraiment impossible et méchant avec moi ce matin ! », dites : « Tu as le droit d'être frustré, mais je suis déçue par ta réaction agressive. » Ce qui ouvre la porte à décrire d'autres façons plus constructives de réagir comme nous l'avons vu dans la rubrique sur la gestion des conflits.

Aussi, un contact physique (par exemple, une main sur l'épaule, flatter le dos ou les cheveux) tout au long de la crise (si possible) peut s'avérer avoir un effet calmant. Maintenez votre position, sans vous faire manipuler par l'enfant, en restant ferme, clair et constant. Et soyez cohérent dans la gestion des conséquences. Si la crise n'est pas majeure, le privilège perdu ne doit pas l'être. Évitez à tout prix de lancer des menaces de conséquences en l'air qui ne seront jamais vraiment appliquées ou qui pénalisent quelqu'un d'autre (par exemple : « Si tu ne m'écoutes pas, tu ne viendras pas en vacances avec nous la semaine prochaine », « Arrête ça tout de suite, sinon tu n'iras pas à la fête de ton ami cet après-midi », ou encore « Penses-tu que le père Noël va donner des cadeaux à un enfant comme toi ? »). Vous pouvez parfois laisser une chance à l'enfant de se reprendre, mais en général, une conséquence donnée se doit d'être appliquée à court terme. Sinon, votre crédibilité en matière d'autorité fondra comme neige au soleil. Et n'oubliez pas de dire ou de laisser comprendre à vos enfants en tout temps que vous les aimez. Oui, oui, même lorsqu'ils sont en crise. Et terminez en remerciant et en félicitant l'enfant lorsqu'il se calme.

En ce qui a trait à la négociation avec les enfants, la plus grande sagesse est de savoir choisir ses batailles. Est-il plus important pour vous que votre fils apprenne à ne pas donner de coups de pied à sa sœur ou qu'il apprenne à faire son lit correctement tous les matins ? Faites votre choix, et vous aurez plus d'énergie pour les apprentissages qui en valent vraiment la peine. Chaque chose en son temps, il apprendra bien tout seul à faire son lit s'il vous voit faire le vôtre et lorsque les coups de pied seront des choses du passé. Dans les cas où une demande qui vous paraît très importante reste incomprise ou que l'enfant n'y répond pas, la méthode de la « chaise de réflexion » peut être utilisée pour de courtes périodes afin qu'il se calme et réfléchisse à ses actes. La durée recommandée, entre 2 et 10 minutes, est souvent égale à l'âge de l'enfant (par exemple : 4 ans = 4 minutes). En cas de surchauffe dans votre rôle parental, n'hésitez pas à consulter un spécialiste, psychologue pour enfant, psychoéducateur ou coach parental.

En guise de réflexion, voici une petite citation que j'aimerais partager avec vous : « Un enfant qui a eu une bonne journée mérite une histoire. Un enfant qui a eu une mauvaise journée a besoin d'une histoire. » (Auteur inconnu.)

Si vous avez déjà eu une réaction que vous regrettez, il est possible que vous éprouviez un sentiment de culpabilité par la suite. Dans la prochaine rubrique, je vous suggère quelques antidotes à ce sentiment qui ronge l'intérieur.

La culpabilité et le ressentiment : certaines épaules sont plus larges que d'autres...

Certaines personnes se sentent facilement coupables, comme si le bonheur de la planète entière reposait sur leurs épaules. La culpabilité vient d'un sens du devoir et des responsabilités très développé, soit par l'éducation, soit par un grand besoin de réussite. Si le conjoint rentre tard, si les enfants ont de la difficulté à l'école, c'est leur faute. Les « Je ne suis pas assez présente comme conjointe » ou « Je suis un mauvais père » font partie de leur discours. Pour d'autres, au contraire, il s'agira de ressentiment, c'est toujours la faute des autres. On les entendra plutôt dire « Et s'il devenait enfin plus mature » ou « Ces petits fainéants, ils ne s'appliquent jamais dans leurs travaux scolaires ». Dans les deux cas, les émotions négatives minent considérablement l'énergie. Pourtant, aucune des deux situations (responsabilité totale ou absence de responsabilité) n'est parfaitement réaliste. En effet, dans le cas du conjoint qui rentre tard, il est possible que la conjointe ait effectivement manqué de manifester son affection ces derniers temps, ou encore que le conjoint soit en train de vivre sa crise d'adolescence en retard. Cependant, la réalité se trouve peut-être quelque part entre les deux. Peut-être que cet homme a tout simplement besoin de se détendre après le travail ou d'élargir son réseau social pour se créer une soupape contre le stress.

Tant que l'on n'a pas ouvert la discussion avec l'autre personne, on ignore le pourquoi de ses agissements. En refusant d'aborder la situation réelle et en se faisant des scénarios catastrophiques, le résultat ne peut être positif. La colère, l'anxiété et la déprime prennent le dessus. On s'enlise dans le retrait et l'immobilisme, de peur d'agir ou de faire les mauvais choix. Si vous vous reconnaissez dans ces portraits, je vous invite à essayer les exercices de recadrage cognitif proposés au chapitre 5, notamment dans la rubrique sur les croyances nuisibles. Si vous ne voyez pas d'amélioration après quelques semaines de pratique assidue, l'assistance d'un psychologue pourrait vous être d'un grand secours. L'approche cognitive ou comportementale est celle que je préconise, mais il a été démontré que c'est la qualité du lien de confiance avec le thérapeute qui fait la plus grande différence dans le succès de l'intervention (pour plus de détails, consultez le site de l'Ordre des psychologues du Québec).

Aussi, lorsqu'elles ressentent un état négatif, certaines personnes ont tendance à attribuer le problème à elles-mêmes dans sa globalité ou sur une base permanente, plutôt qu'en partie ou sur une base temporaire. Il est pourtant tellement plus aidant de faire ressortir uniquement l'aspect problématique et de le nuancer par un « mais ». Ainsi, il serait préférable de dire : « J'ai échappé la douzaine d'œufs sur le plancher ce matin, mais j'ai bien déposé le pot de confiture » plutôt que « Je suis terriblement maladroite et je le serai toujours ». Si on représente ces deux tendances sur deux axes, les gens déprimés se retrouvent davantage dans le quadrant « global + permanent » que dans son opposé, « spécifique + temporaire ».

En matière de culpabilité, l'une des grandes responsables est la tendance à ponctuer son discours intérieur de « devrais », ce qui correspond à ces fameux standards de réussite. En effet, l'homme qui se dit : « Je devrais toujours avoir la meilleure idée dans les réunions d'équipe au travail », « Je devrais me faire offrir la prochaine promotion », « Je devrais devenir capitaine de l'équipe de soccer de ma fille », « Je devrais toujours pouvoir souper avec les enfants la semaine », « Je devrais avoir le plus beau gazon du quartier » et « Je devrais amener ma conjointe au restaurant ou au cinéma toutes les semaines » est un parfait candidat pour la « perfectionnite » aiguë. Plus on se fixe des standards de performance élevés (et souvent irréalistes), plus on peut souffrir de culpabilité (et de déprime) car les attentes sont rarement toutes respectées à un tel degré. À ce sujet, le Dr Burns suggère de dresser la liste des avantages et des inconvénients d'entretenir ces pensées en « devrais ». Bien souvent, les inconvénients priment largement et les avantages peuvent être atteints autrement. Également, un autre truc est de se faire une suite logique telle que : « Les hommes qui travaillent beaucoup ne sont pas tous coachs sportifs en plus», «Je suis un homme qui travaille beaucoup» donc «Je ne devrais pas nécessairement entraîner l'équipe de soccer tous les étés en plus». Ceux qui ont de la difficulté avec ces principes sont invités à lire ou à relire la rubrique «Le contrôle et les standards inatteignables» au chapitre 3.

Voici un autre exemple de pensées distordues. Une femme se dit: «Je suis une mauvaise mère parce que je laisse mon fils de 10 ans rentrer seul à la maison après l'école, la clé au cou.» Bien souvent, les émotions négatives liées à ce type de pensées proviennent de ce que l'on croit que les autres pensent de nous. Dans l'exemple précédent, la mère peut craindre que ses voisins la jugent comme complètement irresponsable. Cependant, seul ce que *vous pensez* peut avoir un effet sur vos émotions. Pour vous en convaincre, tentons l'expérience suivante, suggérée par le Dr Burns, un psychiatre maître de l'approche cognitive selon laquelle on ressent ce que l'on pense. Demandez à quelqu'un de votre entourage de penser à vous en termes élogieux pendant quelques secondes; par exemple: «Untel est très gentil et je l'aime bien.» Puis, demandez-lui de penser à vous en termes plus méprisants; par exemple: «Untel est l'être le plus détestable du pays.» Observez maintenant comment vous vous êtes senti pendant ces quelques secondes. Il est fort probable que vous ayez été indifférent pendant l'expérience puisque vous n'aviez aucun moyen de deviner de façon exacte ce que l'autre pensait de vous. À moins d'être un médium ou un as de la télépathie, il en va de même dans la vie quotidienne. On se fait souvent de la bile pour des scénarios qui sont loin de la réalité, principalement dans le domaine de la «lecture de pensée» (tendance à imaginer ce que pensent les autres). Il est si facile de juger ceux qui vivent des situations qui ne ressemblent pas à la nôtre. Commençons par reconnaître que chacun fait de son mieux, avec le bagage reçu. Selon Rose-Marie Charest, présidente de l'Ordre des psychologues du Québec, il est d'ailleurs préférable de viser être un parent suffisamment bon, plutôt qu'être un parent parfait (ce qui n'existe pas de toute façon).

Aussi, certains parents se sentent coupables d'envoyer leurs enfants en garderie. Voici une question très importante à se poser en ce sens: croyez-vous que vos enfants seraient plus heureux d'avoir à la maison un parent anxieux à cause d'un budget serré, voire déficitaire, ou déprimé par manque du sentiment de réalisation que pourrait lui procurer le travail ? Ou préféreraient-ils des parents plus épanouis ? La réponse à ces questions dépend largement de votre relation vis-à-vis de votre vie professionnelle, ainsi que des valeurs et des modèles que vous souhaitez inculquer à votre progéniture. Selon certains auteurs, le fait d'être gardés à l'extérieur de la maison avec d'autres enfants favoriserait le développement de vos jeunes. De plus, il semblerait que les mères à la maison ne passeraient pas plus de temps de qualité avec leurs enfants que les mères qui travaillent. En effet, elles sont très occupées par les tâches que requiert l'entretien de la maisonnée. Cependant, les pères dans les familles où les deux conjoints travaillent à l'extérieur seraient davantage impliqués auprès de leurs enfants que ceux dont la conjointe reste à la maison, ce qui est un élément très intéressant à considérer[17]. Alors dehors, la culpabilité ! En outre, si on peut bénéficier d'aménagement du temps de travail (par exemple, horaires flexibles, temps partiel, télétravail), de la possibilité de prendre congé lorsque les enfants ont besoin de rester à la maison, de prendre des vacances régulièrement ou pour une période raisonnable, la présence des parents auprès de leurs enfants m'apparaît tout à fait adéquate (c'est mon opinion personnelle de psychologue et de mère). Par ailleurs, le choix de rester à la maison peut, dans certains cas, s'avérer tout à fait justifié, voire souhaitable. Chaque situation est unique.

Pour se sortir de façon plus définitive du cercle vicieux de la culpabilité, il est important de développer une certaine dose d'égoïsme. Plutôt que de faire les choses pour les autres ou «parce qu'il le faut», notre principale responsabilité en tant qu'être humain est de faire en sorte d'être bien *pour soi*. Ensuite, cette attitude et cet état peuvent déteindre positivement sur les autres, et le résultat ne peut qu'en être plus positif. De plus, il est important de retirer de la satisfaction pour le travail accompli, plutôt que de mettre l'accent sur ce qu'on n'a pas eu le temps de faire. Par ailleurs, lorsque les priorités sont bien établies, il est plus facile d'échapper à la culpabilité. En effet, si vous savez que vous êtes dans une période particulièrement prenante au travail, vous pouvez vous y consacrer sans remords en sachant que dès le retour à la normale, vous prendrez du temps exclusivement pour votre

---

17. B. Michaels et E. McCarty, *Solving the Work/Family Puzzle*, 1992.

famille. De cette façon, aucune sphère n'est négligée sur une longue période.

En somme, établissez quels sont les avantages de faire ce que vous vous sentez coupable de faire. Et dites-vous que si vous faites de votre mieux dans toutes les sphères de votre vie, personne ne pourra vous reprocher quoi que ce soit. Comme le dit si bien le chroniqueur Stéphane Laporte : « La culpabilité est la rançon du bonheur[18]. » Si vous voulez être heureux, ce n'est peut-être pas si cher payer !

La culpabilité n'est pas seulement engendrée par le manque de temps consacré aux enfants. Il arrive que les gens se sentent aussi coupables lorsqu'ils prennent du temps pour eux plutôt que pour aller voir leurs parents. Si vous êtes aussi responsable de vos parents, la rubrique qui suit s'adresse à vous.

La génération « sandwich » : comment réagir face à mes parents malades ou vieillissants ?

Être tiraillé entre les exigences de la vie professionnelle, les besoins de ses enfants *et* ceux de ses parents en perte d'autonomie, c'est indéniablement très difficile à vivre. En plus de la tristesse associée au constat que des êtres chers souffrent ou sont en voie de nous quitter pour un autre monde, la culpabilité se pointe facilement puisqu'on a l'impression d'avoir une dette envers ceux qui nous ont tant donné. Si, par surcroît, les frères et sœurs sont absents du décor ou non disponibles, le fardeau risque de devenir lourd. Que faire ? « Placer » ses parents ? (Quelle expression affreuse !), les inviter à cohabiter, s'en occuper à distance ? Examinez chaque option très attentivement, avec les avantages et les inconvénients de chacune, en tenant compte de l'opinion des principaux intéressés s'ils sont aptes à se prononcer. Si vous optez pour prendre soin d'un parent chez vous, sachez que cela peut être une expérience de rapprochement intergénérationnel très formatrice pour vos enfants et adolescents. Toutefois, il sera alors essentiel que vous preniez du temps pour vous, à l'extérieur de la maison sur une base très régulière, afin de vous ressourcer, de changer d'air et de ventiler vos émotions.

---

18. *La Presse*, 16 janvier 2010.

Selon les chercheurs de l'institut HeartMath, prendre soin des autres procure certains sentiments de valorisation et de bien-être qui seraient très bénéfiques pour le cœur. Cependant, les soins à apporter peuvent aussi devenir une importante source de stress. Cet état est appelé «sursoin» (traduction libre de *overcare*). On se retrouve dans cet état lorsque le fait de se préoccuper de quelqu'un représente une lourde responsabilité, accompagnée d'inquiétude, d'anxiété ou d'insécurité. On se sent alors surchargé, et il est important de tenter de revenir à l'équilibre. Comment? En acceptant ses émotions sans se culpabiliser, en tentant de voir la situation de façon objective (en retirant sa charge émotive), en prenant soin de soi (en se détendant) et en allant chercher de l'aide au besoin. Éviter de regarder les nouvelles télévisées peut aussi soulager les cœurs qui sont portés vers l'anxiété. Et souvenez-vous, les gens dont vous prenez soin ont davantage besoin de votre amour que de ressentir votre inquiétude, n'est-ce pas?

Pour des exercices protégeant le cœur des émotions négatives, je vous invite à revenir au chapitre 3 à la rubrique sur la cohérence cardiaque. La pratique de la gratitude est aussi reconnue comme une façon de se protéger physiquement et psychologiquement. Pour savoir comment vous y prendre, lisez ce qui suit.

La gratitude : l'art de laisser plus de place au positif

Comme nous l'avons vu au chapitre précédent portant sur la gestion du stress, les émotions positives ont un impact majeur sur la santé et sur le bien-être. Ainsi, il est suggéré d'entrer en cohérence avec son cœur au moins une fois par jour, au coucher, en prenant le temps de remercier la vie pour au moins trois choses positives que vous avez vécues ou ressenties. Que ce soit une bonne bouffe, une conversation avec un ami, un contrat obtenu, la fierté d'un enfant qui a réussi à lacer ses souliers ou votre rhume qui est enfin guéri, il existe plus de raisons que vous ne le croyez pour vous endormir avec le sourire!

En outre, pratiquer le *cut-thru* le matin (voir le chapitre 3 pour la description détaillée) permet de se sentir guidé sur la bonne voie, sachant comment agir, penser et réagir pour favoriser l'harmonie et la sérénité autour de soi. S'aimer soi-même et remercier son cœur de nous garder en vie, n'est-ce pas là le plus beau cadeau à s'offrir? En plus d'être totalement gratuit, ça rapporte énormément en termes d'avantages (bien-être, sérénité, joie de vivre, etc.). Plutôt que de ressentir de la frustration à la fin d'une journée, pourquoi ne pas porter son attention sur l'atteinte de ses objectifs (s'ils étaient réalistes) ou sur la partie qu'on a réussi à compléter? C'est cela qui entraîne, selon le Dr Marquis, un état de contentement ou de saine fatigue qui engendre un repos régénérateur.

Pour vous inspirer dans l'art de la gratitude, voici un joli texte trouvé sur Internet et tiré du magnifique livre de Francine Ferland portant également sur la conciliation :

«Je suis reconnaissant(e)...

... pour les cris de mes enfants dans la cour ; cela veut dire que mes enfants sont vivants.

... pour les repas à préparer quotidiennement, jour après jour ; cela veut dire que j'ai à manger.

... pour les impôts que je paie ; cela veut dire que j'ai des revenus.

... pour ma pile de vêtements à laver et à repasser ; cela veut dire que j'ai quelque chose à porter.

... pour la pelouse à tondre, les fenêtres à nettoyer et les planchers à laver ; cela veut dire que j'ai un toit.

... pour ma grosse facture de chauffage ; cela veut dire que je suis au chaud.

... pour la dernière place que j'ai trouvée dans le stationnement du magasin ; cela veut dire que je peux marcher.

... pour le ménage à faire après un *party* ; cela veut dire que j'étais entouré(e) d'amis.

... pour la sonnerie de mon réveille-matin ; cela veut dire que je suis vivant(e).»

Et vous, de quoi êtes-vous reconnaissant? Pourriez-vous organiser, avec votre famille, vos amis ou vos collègues de travail, une «journée de l'appréciation» où chacun partage ce qu'il apprécie chez les autres membres du groupe? Quelle belle façon de resserrer les liens et de faciliter la communication! Cela établit certainement les bases pour des relations intimes épanouies.

Et l'intimité, dans tout ça ?

Après avoir géré une journée difficile au travail ou à la maison, on ne souhaite parfois que déposer sa tête sur l'oreiller et dormir. En effet, quand on parle des principaux irritants avec les familles qui vivent des problèmes de conciliation, l'un des éléments qui ressort très souvent est la difficulté à pouvoir s'accorder du temps de qualité en couple. Pourtant, lorsque le couple s'oublie dans le tourbillon du quotidien, le climat familial peut se détériorer et tout le monde en souffre, d'abord les enfants et potentiellement l'employeur. Il est donc primordial de briser la routine à l'occasion et de prévoir régulièrement du temps pour se retrouver. La spontanéité, c'est bien beau, quand on peut se le permettre. Mais comme il est déjà difficile de trouver du temps pour soi dans un agenda, imaginez lorsqu'il faut trouver du temps commun dans deux agendas bien remplis. Je vous suggère donc de planifier, autant que possible, au moins une activité ou plage de temps par mois à deux. Voici quelques façons d'optimiser le temps en couple :

- Faire du bénévolat, un loisir ou de l'exercice physique ensemble (une activité qui est déjà dans votre agenda) ;
- Faire du covoiturage pour aller travailler (au moins occasionnellement si l'horaire ou le trajet ne le permettent pas régulièrement) ;
- Faire garder vos enfants par un couple voisin et le mois suivant garder les leurs ;
- Faire souper les enfants plus tôt, leur trouver une activité (par exemple, louer un film) et souper en tête-à-tête (de une à quatre fois par mois) ;
- Se coucher plus tôt certains soirs pour s'offrir un petit massage... ou toute autre gâterie conjugale que votre imagination vous suggère.

Puisque l'amour est un besoin biologique, il est important de le communiquer le plus régulièrement possible. Au travail, nous sommes motivés par les gestes de reconnaissance. Pourquoi en serait-il autrement à la maison ? Votre conjoint et vos enfants (ou vos colocataires) seront motivés à vous aider et à donner le meilleur d'eux-mêmes si vous les complimentez régulièrement et leur dites qu'ils sont appréciés pour ce qu'ils sont et ce qu'ils font.

Enfin, les manifestations par le toucher sont excellentes pour la santé. Que ce soit avec votre conjoint, vos enfants ou toute personne avec qui vous vous sentez suffisamment intime, prenez le temps de caresser les cheveux, de gratter ou de masser le dos, de flatter les joues, de serrer une main chaleureusement. Il a été prouvé dans les années 1980 que les bébés prématurés hospitalisés et les enfants dans les orphelinats qu'on se permettait de toucher (au risque de leur transmettre des infections) avaient une meilleure croissance et un meilleur taux de survie.

Comme les manifestations d'amour et d'affection ne sont pas toujours spontanées, apprenons donc à demander.

Négocier à la maison : comment puis-je obtenir ce dont j'ai besoin ?

Lorsqu'il devient difficile de faire respecter ses attentes (les plus réalistes, celles qu'on a conservées parce qu'elles correspondent à des besoins réels), il est particulièrement important de les expliquer, de communiquer aux autres leur raison d'être. Si vous avez une réunion du conseil d'administration le mercredi soir et espérez que la vaisselle du souper soit ramassée à votre retour ce soir-là, rappelez régulièrement à vos enfants que vous avez besoin de vous réaliser dans cette activité bénévole *et* que vous avez besoin de vous détendre dans une maison accueillante et rangée le soir venu. En retour, ils pourront bénéficier de quelques minutes de votre temps avant de dormir ou le lendemain pour faire quelque chose qui leur tient à cœur ou tout simplement vous raconter leur journée.

Pour faciliter ce processus, Jacques Salomé[19], célèbre auteur et conférencier français en matière de communication interpersonnelle, suggère de décrire visuellement aux enfants nos différents chapeaux : papa-maman (qui écoute, console, joue, etc.), père-mère (qui dirige, encadre, demande, interdit, etc.), homme-femme (qui a parfois besoin de temps seul ou à l'extérieur de la maison), conjoint (qui donne du temps à l'autre parent) et travailleur (qui a des tâches à accomplir dans la maison ou à l'extérieur de la maison). De cette façon, l'enfant sait à quoi s'en tenir et on peut éviter beaucoup de frustrations.

---

19. www.psychologies.com.

128

Négocier au travail : comment puis-je obtenir ce dont j'ai besoin ?

Dans la vie professionnelle, il est important de bien établir le canal de communication avec son supérieur immédiat. Tous en ressortiront gagnants puisqu'il est reconnu que la confiance, le soutien et la flexibilité offerts par les gestionnaires améliorent la performance et diminuent le stress (donc, l'absentéisme et l'intention de quitter leur emploi) des employés.

Lorsqu'on aborde son gestionnaire pour négocier un nouvel arrangement de travail, il faut adopter une attitude déterminée, positive et flexible (démontrer un grand sentiment d'engagement envers l'entreprise). Aussi, cela exige une bonne préparation au préalable, incluant des réponses face à chacune des résistances anticipées. Dans le chapitre 5, je traite en profondeur des moyens à prendre pour réaliser vos objectifs dans votre milieu de travail.

Il est difficile de parler de conciliation sans aborder le sujet de l'épuisement, puisque c'est en fait l'une des conséquences qu'on tente de prévenir.

L'épuisement professionnel (ou personnel) : comment l'éviter ou en sortir grandi ?

L'épuisement professionnel, communément appelé *burnout*, représente un véritable fléau de nos jours. Presque tout le monde connaît quelqu'un qui a dû vivre un arrêt de travail pour cette raison. On peut définir le *burnout* par ses trois composantes principales d'abord décrites par Maslach : 1. l'épuisement émotionnel ; 2. la dépersonnalisation ; et 3. la diminution des accomplissements personnels. L'épuisement émotionnel est facile à imaginer : la personne manque d'énergie et se sent facilement dépassée par les événements car elle a l'impression que ses ressources sont épuisées. Quant à la dépersonnalisation, elle s'observe lorsque l'individu intellectualise beaucoup, ne s'investit plus personnellement, travaille comme un robot, bref, il se sent davantage comme un maillon d'une chaîne de montage que comme une personne pensante qui peut contribuer dans son travail par sa personnalité unique. Enfin, la diminution des accomplissements personnels implique une tendance à s'évaluer négativement, une perception de stagner ou de couler professionnellement.

Plusieurs facteurs peuvent contribuer à cet état, notamment le manque de reconnaissance, la surcharge de travail, un grand engagement dans le travail qui prend une place centrale dans la vie, le manque de soutien social, la tendance à se fixer des attentes trop élevées (impliquant le risque de ne jamais les atteindre, donc de ne jamais se sentir à la hauteur), etc.[20]. Étant donné que l'épuisement professionnel a de grandes répercussions dans toutes les sphères de la vie, il est important d'en reconnaître les signes pour s'assurer qu'il ne prendra pas toute la place et pour se donner les moyens d'en sortir afin de reprendre une vie professionnelle plus satisfaisante.

D'abord, il ne faut pas s'isoler, mais plutôt s'entourer de personnes qui nous apportent des sentiments positifs. On en profite pour faire un certain ménage dans les relations, en mettant de côté, du moins temporairement, les sources de conflits, de blâmes, de tensions et les personnes très négatives. Ensuite, il faut se trouver un passe-temps qui implique de renouer avec son corps (en fouillant dans ses anciennes passions ou en explorant de nouvelles avenues). Ce peut être le chant, la danse, le tricot, le karaté, bref, les idées sont multiples. En fait, il s'agit de pouvoir faire cette activité sans avoir à trop réfléchir. Aussi, les techniques de centrage sur le cœur (telles que décrites au chapitre 3) peuvent être grandement bénéfiques. Pour prévenir l'épuisement, un truc simple consiste à alterner des activités plus physiques et des activités sollicitant davantage le côté mental. Enfin, l'aide extérieure d'un thérapeute compétent est souvent ce qui permet de se recentrer sur ses valeurs et sur sa valeur en tant qu'être humain.

Voici quelques questions à vous poser lorsque les choses vont moins bien dans votre vie. Le Dr Serge Marquis suggère même d'en apposer quelques-unes sur le frigo de façon à les avoir sous la main au besoin:

- Qu'est-ce qui est important pour moi?
- Que peut-il m'arriver de pire?
- Est-ce que ma vie est menacée?
- À qui suis-je en train de faire du mal (par ces mots, par ce geste, par cette décision)?

---

20. Cynthia L. Cordes et Thomas W. Dougherty, « A Review and Integration of Research on Job Burnout », *Academy of Management Review*, 18, p. 67-83.

- Est-ce que je peux survivre si l'image que je projette aux yeux des autres n'est pas celle que je souhaite?

Voici les réponses d'une femme dont les parents ont des problèmes de santé et qui a tendance à s'inquiéter beaucoup pour eux:

- «L'important pour moi, c'est que je sois en santé.»
- «Ce qu'il peut m'arriver de pire, c'est que l'un de mes parents meure. Ils s'y préparent de toute façon et je dois me faire à cette idée aussi.»
- «Ma vie n'est pas menacée. La vie continue.»
- «C'est à moi que je fais du mal en m'inquiétant ainsi. C'est inutile, ça n'améliore pas leur état et ça me fatigue pour rien.»
- «Je peux survivre même si je ne suis pas la fille parfaite. Mes amis, mon conjoint et mes collègues vont m'aimer quand même.»

Si les réponses à ces questions ne vous paraissent pas concluantes et que votre corps et votre esprit ne suivent plus le rythme de votre vie, je vous invite à considérer d'autres solutions qui peuvent s'avérer salutaires pour vous, entre autres, la psychothérapie, l'hormonothérapie et la pharmacothérapie.

La pharmacothérapie: et si votre corps avait besoin d'un coup de pouce?

La gestion du stress et des émotions est un art qui se pratique au quotidien et qui peut être l'œuvre d'une vie. Et il y a des périodes de la vie où les épreuves sont plus difficiles à traverser. Aussi, à l'instar des diabétiques qui ne peuvent métaboliser seuls leur insuline, certaines personnes ont des prédispositions génétiques à avoir plus de difficulté à gérer leurs émotions à cause d'une mauvaise absorption de la sérotonine, le messager chimique sécrété dans le cerveau et connu comme le responsable du bien-être. Lorsque l'humeur dépressive ou l'anxiété vous semblent prendre le contrôle sur vos pensées et votre corps, n'hésitez pas à consulter un médecin en qui vous avez confiance. Les méthodes décrites dans ce livre vont vous être très utiles pour mieux vivre, mais elles s'avèrent malheureusement parfois insuffisantes dans certains cas. Les médicaments antidépresseurs, par exemple, peuvent être très efficaces si vos malaises sont d'origine biochimique. Vous êtes contre la prise de médicaments? Le sport et la luminothérapie sont des façons d'augmenter l'apport en sérotonine au cerveau. Vous pouvez également songer aux sources naturelles. Sachez cependant que tout produit, naturel ou synthétique, comporte des effets secondaires, mais les effets bénéfiques peuvent grandement les surpasser. Il s'agit de trouver ce qui vous convient. Gardez en outre à l'esprit qu'il est primordial d'être conseillé par des gens compétents (qu'ils soient médecins, pharmaciens ou naturopathes) avant de vous lancer dans des consommations impulsives de produits. Cessez d'essayer d'être *superman* ou *superwoman* qui peut tout réussir seul. Trouvez des solutions avant que votre corps s'épuise et que le héros tombe de haut! «Une pilule, une petite granule», ça peut parfois faire vraiment du bien quand c'est le bon contenu avec le bon dosage.

CHAPITRE 5

La mise en œuvre de ses objectifs de vie : définir une vision de sa vie personnelle et professionnelle

« La vie c'est comme une bicyclette,
il faut avancer pour ne pas perdre l'équilibre. »

Albert Einstein

Vous êtes-vous déjà demandé ce que vous attendiez vraiment de la vie, ce que vous attendiez pour être heureux ? Évidemment, il ne suffit pas d'attendre pour recevoir (on risque plutôt d'être déçu). Il faut plutôt demander clairement, provoquer les événements. Pour réussir, il faut avoir une vision à long terme. Dans la vie, on peut presque tout avoir, mais pas nécessairement en même temps... C'est à cette étape qu'il vous faudra faire des choix : voulez-vous être un superhéros, c'est-à-dire tout réussir à la perfection (mais à quel prix ?), bien gérer et vivre votre vie, revoir vos rôles et les interpréter différemment ou en abandonner quelques-uns ou quelques aspects ? En effet, une maison légèrement « à l'envers » est beaucoup plus facile à tolérer lorsqu'on a fait le choix d'accepter l'absence d'ordre parfait, plutôt que lorsqu'on rame constamment à contre-courant, tentant d'atteindre un objectif quasi impossible. Est-ce que ce sont des êtres humains en mouvement qui vivent dans cette maison ou des statues décoratives ? Est-ce que le fait que tous les lits soient faits chez vous empêche les guerres et les enfants de mourir de faim ?

Voilà bien des réflexions! Toutefois, ce chapitre vous guidera pour trouver les réponses qui vous conviennent, selon l'étape de votre vie actuelle. Il est clair que vos besoins personnels et professionnels sont en constante évolution et que ces exercices de réflexion doivent être repris périodiquement, soit à chaque changement significatif (par exemple, un conjoint qui obtient une promotion, le décès d'un parent, l'entrée à l'école d'un enfant, etc.) ou environ tous les un à deux ans. Et non, vous ne pourrez pas vous débarrasser de ce livre de sitôt! Voici donc quelques étapes à suivre pour que la combinaison unique de vos ingrédients disponibles (talents, moyens, aspirations, etc.) vous aide à concocter votre propre recette magique de conciliation.

Tout d'abord, nous allons procéder à un changement de l'intérieur pour faire le ménage dans nos attitudes et croyances, avant de nous tourner vers les conditions extérieures qui sont modifiables.

L'art de vivre : les règles du bonheur

Les règles sont les conditions que nous nous imposons pour être heureux ou malheureux; nous pouvons les voir comme des clés ou des ingrédients. Ce sont des croyances formulées sous forme de règles de logique : «Si..., alors...» Généralement, on peut les associer aux valeurs recherchées. Par exemple, la personne qui a comme valeur la ponctualité peut énoncer la règle : «Si j'arrive toujours à l'heure, mes collègues vont m'apprécier.» Mais, en réalité, se sentira-t-elle toujours appréciée? Qu'en est-il des journées de tempête? Il y a des chances qu'elle ne puisse pas toujours réaliser cette règle, car celle-ci dépend de circonstances extérieures. Une autre personne qui se dit : «Si je suis souriante et constructive dans mon approche, mes collègues vont m'apprécier» sera beaucoup plus susceptible d'être agréable dans son milieu de travail. Il ne s'agit pas d'abaisser ses standards, il s'agit d'être créatif et souple afin d'élargir son éventail de possibilités de ressentir des états plaisants. Il y a toutefois des règles absolues (par exemple : «Pour être en santé, nous devons éviter de consommer des drogues dures»), ainsi que des règles relatives ou conditionnelles (par exemple : «Si nous respectons l'autre, nous devons éviter de lui crier après», mais si ça arrive une fois ce n'est pas la fin du monde, il suffit de s'excuser très sincèrement et de ne pas recommencer).

L'une des meilleures façons d'avoir des règles saines est d'entretenir un comportement proactif. En effet, la proactivité, c'est-à-dire le fait d'aller au-devant des choses, permet de préparer le terrain pour un dénouement heureux. Que ce soit au travail ou dans les relations familiales, le fait de prendre des initiatives qui visent la bonne entente entraînera certainement des résultats. Être proactif, c'est être créateur, être responsable de son bien-être. Par opposition à être réactif, qui risque d'entraîner la mauvaise humeur les jours de pluie, car on réagit à la température. Les gens proactifs se font leur propre météo intérieure et décident qu'il fera beau dans leur journée dès le matin. S'il pleut, qu'à cela ne tienne, on sort une liste de blagues pour faire rire son entourage, on chante en faisant le ménage, on joue à des jeux, on saute à la corde dans le salon... C'est le moment d'utiliser votre liste de règles du bonheur. Si, malgré tout, une tristesse ou une nostalgie s'installe, donnez-vous rendez-vous à un moment propice de la journée pour en explorer les raisons et, surtout, pour lui laisser libre cours. C'est le meilleur moyen de l'enrayer avant le lendemain.

Pour être bien, il importe de nous donner une place centrale et primordiale dans notre vie. À l'instar du système solaire, soyons le soleil autour duquel gravitent des planètes et des météorites. Ainsi, le travail, les amis, les soucis seront des aspects extérieurs qui gravitent de façon parfois temporaire, parfois permanente, autour de nous. Mais nous ne sommes pas le travail, nous sommes le soleil. Et comme la vie c'est maintenant, «ne laissons pas les nuages d'hier assombrir le soleil d'aujourd'hui». (Anonyme.)

 Établissez la liste de ce qui vous fait vous sentir bien (voir l'annexe 2). Les règles du bonheur doivent être élargies et assouplies au maximum. Un simple sourire à un étranger peut vous remplir de bien-être autant qu'un bon bain moussant, et c'est beaucoup plus simple et rapide. L'une de vos règles du bonheur pourrait donc être: «Si je souris sincèrement à au moins une personne aujourd'hui, je vais me sentir bien.» Une fois votre liste de plaisirs complétée, vous pouvez la subdiviser selon le temps dont vous disposez pour l'accomplir; ce sera un merveilleux aide-mémoire au quotidien.

Voici, pour vous inspirer, un exemple de liste de règles du bonheur d'une mère de trois enfants :

- Faire de la pâte à modeler avec les enfants ;
- Faire une randonnée en montagne ;
- Regarder et écouter les oiseaux qui viennent dans ses mangeoires ;
- Chanter sous la douche ;
- Se faire chatouiller par ses enfants ;
- Voir des feux d'artifice ;
- Faire des biscuits maison ;
- Se mettre du vernis à ongles sur les orteils ;
- Se faire masser.

En dressant sa liste, Catherine s'aperçoit qu'elle peut intégrer plusieurs plaisirs à son horaire hebdomadaire. Aussi, elle profite d'une journée pédagogique pour faire une randonnée avec son fils pendant que les filles sont à la garderie. Elle va voir un feu d'artifice avec une amie pendant qu'une de ses sœurs garde les enfants. Elle organise une séance de maquillage avec ses filles et en profite pour se mettre du vernis à ongles. Il s'avère que son plaisir le plus difficile est celui de chanter sous la douche, car elle doit toujours se dépêcher pour éviter que les enfants en profitent pour faire des bêtises. Elle décide donc de prendre sa douche pendant que les enfants sont couchés et les décibels ainsi créés leur servent de réveille-matin !

Mettre en œuvre ce genre de code de vie peut impliquer certaines modifications à la routine ou aux bonnes vieilles habitudes. Pour concrétiser ces changements, surtout si la culpabilité a tendance à refaire surface chez vous, vous pouvez écrire votre propre charte des droits et l'afficher bien en vue sur votre frigo, dans votre garde-robe, etc.

Par exemple :

- « J'ai droit à l'erreur. »
- « J'ai droit au respect. »
- « J'ai le droit de changer d'idée. »
- « J'ai le droit de me reposer lorsque j'en sens le besoin. »
- « J'ai le droit de m'inscrire à une activité que j'aime. »

- « J'ai le droit de prendre un congé et des vacances. »
- « J'ai le droit de m'exprimer. »
- « J'ai le droit de me taire. »
- « J'ai le droit de m'amuser. »
- « J'ai le droit de rêver. »
- « J'ai le droit de demander quelque chose (information, aide, etc.). »
- « J'ai le droit de dire non. »
- « J'ai le droit de choisir. »
- « J'ai le droit de rester seul pendant un moment. »
- « J'ai le droit de mettre mes besoins en priorité. »
- Etc.

Souvenez-vous toutefois que tous les droits s'accompagnent de devoirs et que les gens de votre entourage peuvent bénéficier des mêmes droits que vous. Par exemple, si vous vous donnez le droit à l'erreur, vous ne pouvez reprocher à un proche (conjoint, enfant, ami, collègue, etc.) d'en faire une. Ils ont droit à leurs apprentissages et vous avez le devoir de leur manifester une certaine indulgence.

Dans ce cheminement pour modifier vos façons de penser et de voir la vie, peut-être vous heurterez-vous à l'obstacle de vos croyances. Penchons-nous sur le sujet.

Des croyances nuisibles ? Il est temps de changer de lunettes !

Pour adopter un comportement proactif, il est préférable d'adopter un vocabulaire proactif. Parmi les énoncés suivants, lesquels sont réactifs et lesquels sont proactifs ?

- Je ne peux rien y faire.
- Je suis comme ça, c'est tout.
- Il m'énerve.
- Je dois faire ça.

- Examinons les possibilités.
- Je peux choisir une approche différente.
- Je peux contrôler mes émotions.
- Je vais choisir l'attitude appropriée.

- Je ne peux pas.
- Je suis obligé de...
- Si seulement c'était comme ça.

- Je choisis de...
- Je préfère...
- Je vais faire (ou être)... malgré...

La colonne de droite représente effectivement le vocabulaire plus proactif. À vous de l'adopter !

Nos références sont les éléments sur lesquels nous appuyons nos croyances, ce sont les lunettes à travers lesquelles nous percevons nos expériences. Nos références déterminent comment nous nous sentons, car une chose est bonne ou mauvaise selon ce à quoi nous la comparons. Le système de référence d'un riche n'est pas le même que celui d'un habitant d'un bidonville. Le premier trouverait minable un petit motel, alors que le second le verrait comme un château. Nous mettre en position de vivre de nouvelles expériences ou lire des livres procure de nouvelles références et peut complètement changer notre façon de voir la vie. Ne nous en privons pas !

Beaucoup de références se trouvent dans notre esprit, mais nous en avons aussi dans notre corps. Notre corps est habitué à vivre certaines douleurs (par exemple : maux de tête, maux d'estomac), certaines émotions, car nous reproduisons quotidiennement les mêmes schémas physiologiques. Si vous crispez les mâchoires et les poings, pouvez-vous penser à quelque chose qui vous met en colère ? Ce peut être relativement facile, car vous avez ouvert une voie neuronale dans votre cerveau de par les signaux musculaires que vous lui avez envoyés. Si vous essayez de rire haut et fort, avez-vous en même temps des images déprimantes dans votre esprit ? Non, car votre corps est conditionné à ne pas associer les deux états. Si vous vous détendez physiquement, vos états émotifs seront plus tendres et plus positifs. Ouvrez vos horizons ! Conditionnez-vous dès le lever à créer un état agréable dans votre corps. Que ce soit par des étirements, par des massages sous la douche en vous savonnant, par des respirations profondes, par de la musique douce ou rythmée au lieu des nouvelles, par une crème hydratante aromatique, etc. Souriez-vous dans le miroir le matin, la différence durera toute la journée. Tenez-vous le dos droit plutôt qu'arqué et jouez avec votre corps entier. En ce sens, j'aime bien l'exercice du chef d'orchestre, celui qui peut parfois bouger très lentement, avec un air songeur, et qui, dans un autre mouvement musical, se met à battre des bras rapidement en souriant. Imaginez-vous régulièrement vous sentant bien même dans une situation où vous êtes habituellement mal à l'aise.

Observez le vocabulaire que vous utilisez pour décrire vos expériences. Si vous dites : «Je déteste mon emploi» (global et sévère), vous serez sans doute plus déprimé que quelqu'un qui dit «Je préférerais faire certaines choses autrement» (spécifique et léger). Si vous dites : «Je suis en colère noire après mon mari», vous allez probablement vous sentir plus fâchée que celle qui dit : «Je suis un tantinet contrariée par ma douce moitié.» Les mots, comme notre physiologie (sourcils froncés), ont un effet puissant sur notre état d'esprit.

Pour la prochaine semaine, éliminez donc de votre vocabulaire les mots négatifs comme déprimé, anxieux, stressé, enragé, exaspéré, au bout du rouleau et remplacez-les par des mots doux : un tantinet ennuyé, légèrement déçu, un brin grincheux, un peu fané, etc. Vous pouvez même renverser la vapeur et trouver un substantif plus dynamisant ; par exemple, au lieu de dire «embarrassé, stressé», dites plutôt «mis au défi, plein d'énergie». Vous pouvez en outre renforcer les mots déjà positifs : adorer plutôt qu'aimer, être radieux plutôt que bien, captivant plutôt qu'intéressant, comblé plutôt que satisfait, phénoménal plutôt que bon, etc. Les mots passionnés amènent un état passionné !

Même les métaphores sont importantes : «Je meurs de faim» ouvre davantage l'appétit que «J'ai un peu faim» ; «Je porte le monde sur mes épaules», dépose-le. «La vie est un jeu» peut aussi entraîner différentes interprétations, négatives si on se croit perdant ou positives si on s'y amuse.

✎ Trouvez vos métaphores pour décrire la vie, l'amour, le travail, l'amitié, les enfants, etc.

_____

_____

_____

_____

Par exemple, un homme décrit la vie comme un parcours de golf : il y a des trous plus difficiles que d'autres, mais on profite toujours du club à la fin de la partie.

Une jeune femme dit que l'amour est comme sa crème hydratante : ça coûte cher, mais on ne peut plus s'en passer.

Une mère perçoit le travail et la conciliation comme un gros casse-tête et quand il y a un morceau qui se place, on y voit un peu plus clair et ça fait du bien.

Maintenant que les idées sur votre vision de la vie ont éclos et que vous amorcez une évolution dans votre état d'esprit, mettons tout ça en perspective et examinons votre réalité actuelle.

Le cycle de vie : où suis-je rendu dans mon développement personnel et professionnel ?

Le cours de la vie a été divisé en certains stades par certains auteurs, de façon à faciliter la compréhension des besoins qui évoluent. Ainsi, nous pouvons nous situer tout au long de notre vie active dans l'une ou l'autre des périodes suivantes :

- Adolescence (15 à 22 ans) ;
- Transition du jeune adulte (22 à 30 ans) ;
- Jeune adulte (30 à 38 ans) ;
- Transition de la mi-vie (38 à 45 ans) (ou crise du mitan de la vie) ;
- Adulte d'âge moyen (45 à 55 ans) ;
- Transition à l'âge mûr (55 à 62 ans) ;
- Âge mûr (62 à 70 ans) ;
- Retraite (70 ans et plus).

La majorité des gens s'installent dans leur vie professionnelle et amorcent leur famille au cours des deux stades du jeune adulte. Parfois, l'un des deux parents doit ralentir dans sa carrière pour passer du temps avec les jeunes enfants. Parfois, l'adulte d'âge moyen décide de retourner aux études pour amorcer un virage dans sa vie profession-nelle. La vie ne suit jamais vraiment une ligne toute tracée d'avance. À chaque étape, il y a de nouvelles décisions à prendre, des surprises, des changements. Pour ceux qui vivent en couple, il est particulièrement important de reconnaître à quelle étape le conjoint est rendu, quels sont ses choix et ses besoins à cette étape de la vie. Sinon, les deux peuvent se sentir désynchronisés et avoir l'impression de se perdre de vue ou de s'oublier. Lorsqu'on se perçoit comme une équipe à travers ces étapes, il est plus facile de faire des choix qui favorisent la conciliation entre le travail et la vie personnelle. À ce sujet, je vous invite à revoir la rubrique sur la situation du conjoint au chapitre 1.

Les attentes face à la vie personnelle et professionnelle : quel est mon degré de satisfaction ?

Le sentiment de réussir ou non à concilier les exigences des multiples sphères de notre vie est purement subjectif. En effet, pour deux réalités identiques (par exemple, le même nombre d'heures de travail, le même nombre d'enfants, la même distance à parcourir quotidiennement, la même nature du travail, etc.), deux individus peuvent avoir des perceptions très différentes. Martine, qui s'attend à avoir le temps de s'entraîner trois fois par semaine et de faire du bénévolat à l'école de ses enfants, se considère comme constamment essoufflée et insatisfaite de sa façon de concilier. Pourtant, Anne-Sophie, qui profite de son peu de temps libre pour lire ou faire de la bicyclette avec ses enfants, s'estime plus satisfaite de son succès en matière de conciliation. Comme on peut le constater, la satisfaction dans la vie en général est pour beaucoup une question d'attentes personnelles ou de perception des attentes de l'entourage. En ce sens, est-ce que certaines de vos attentes peuvent gagner à être modifiées ?

Beaucoup trop de gens s'épuisent au travail en rêvant à leur retraite. Et lorsque cette fameuse retraite arrive, ils n'ont plus la santé pour en profiter. Et vous, que souhaitez-vous tant faire à votre retraite ? Pourriez-vous commencer à le faire dès maintenant ? Votre vie n'est pas dans 15 ou 25 ans, elle est maintenant. Pour être pleinement satisfait de sa vie, il est recommandé de désirer ce que l'on a déjà (ça rend heureux !), plus environ 10 %, question de viser une certaine amélioration tout en demeurant réaliste.

Voici une autre piste de réflexion sur les aspects de votre vie personnelle : combien d'enfants pouvez-vous vous permettre d'avoir ? Un seul, pour lui consacrer plus de temps de qualité ? Deux, pour qu'il ne soit pas seul ? Trois ou plus, pour vous investir davantage dans la sphère familiale? Aucun, pour garder votre énergie pour vous, votre carrière et votre entourage? Voilà des questions à ne pas prendre à la légère et à discuter avec votre conjoint (si vous en avez un). Si vous vivez un dilemme face à ces questions, n'hésitez pas à consulter, mais rappelez-vous que la tête finit souvent par s'accommoder des décisions qui viennent du cœur.

Plusieurs personnes se créent, lorsqu'elles sont jeunes, un scénario de la vie idéale qu'elles souhaitent vivre à un âge plus avancé. «Lorsque j'aurai 30 ans, j'aurai eu mes deux premiers enfants. À 35 ans, je serai gestionnaire et à 40 ans, j'aurai un chalet.» Plus on avance dans la vie, plus on s'aperçoit que ce rêve initial n'est pas toujours compatible avec nos réalités professionnelles et personnelles. Il est donc important de faire le point sur «là où on est vraiment rendu» par rapport à «où on aurait aimé être» vis-à-vis des éléments suivants.

Réalités professionnelles
- Tâches et responsabilités.
- Charge de travail.
- Horaires.
- Programmes de conciliation travail-vie personnelle.
- Culture d'entreprise (exprimée par des «dits» ou des «non-dits» tels que: «Nous ne refusons aucun client», «Il ne faut pas partir avant le patron», la conciliation travail-vie personnelle fait-elle partie des préoccupations des gestionnaires, voire de leurs objectifs de performance?, etc.).
- Style de travail.

Réalités personnelles
- Finances personnelles (budget respecté, paiements de maison et de voiture, etc.).
- Attentes par rapport à la carrière et ambitions personnelles (avancement, salaire par rapport aux heures réellement travaillées – calculer le prorata sur cette base).
- Nombre d'enfants à charge.
- Soutien à la garde des enfants et aux soins des personnes âgées.
- Réalité et attentes du conjoint (horaires compatibles).

- Personnalité (par exemple, si vous êtes discipliné, solitaire, autonome et qualifié, vous pouvez envisager le télétravail).

✎ Au terme de cette réflexion, notez ici la phrase qui résume le mieux votre vision personnelle de la conciliation travail-vie personnelle : « Je reconnais ma vie idéale par _____

_____

_____

_____ . »

Par exemple : « Je reconnais ma vie idéale par la satisfaction que j'éprouve après une journée de travail, par le fait que je peux relaxer dans ma voiture en écoutant de la bonne musique, par les occasions que j'ai de faire le souper avec mon conjoint en arrivant à la maison et d'aller à mes cours de danse. Je suis heureuse quand je peux passer une journée de fin de semaine avec mes parents, une journée avec mes neveux et les soirées avec mon amoureux. J'ai la chance d'avoir quelqu'un qui m'aide à faire l'entretien du condo et les courses, je peux donc dormir tranquille le soir venu. »

Nous ouvrons graduellement de nouvelles portes et de nouveaux horizons dans votre esprit. Il est maintenant temps de concrétiser votre vision de la vie en élaborant votre mission et vos objectifs de vie.

Les objectifs de vie : quelle est ma mission de vie ?

Quelle grande question ! À la fois simple et complexe, l'identification de sa mission de vie est une étape qui fait du bien lorsqu'elle est franchie. Cette mission, ou cette raison d'exister, vous sera dictée par votre intuition, par votre voix intérieure. L'activité mentale consciente est souvent là pour masquer votre essence propre. Il convient donc d'essayer de la faire taire le plus souvent possible, et la réponse viendra d'elle-même, sans que vous ayez à forcer pour la formuler. Voici quelques exercices pour vous aider à écouter votre voix intérieure. Tentez de les faire le plus possible sans juger de ce qui vous vient spontanément à l'esprit. Les réactions du mental représentent souvent des limites.

Écoutez plutôt vos réactions émotives et vos sensations. Si vous vous sentez bien, calme et serein à l'énoncé de votre mission, c'est que celle-ci est probablement la bonne. L'élément clé est donc de générer de la joie de vivre.

Afin de déterminer les changements qui peuvent être nécessaires pour diminuer les sources de stress et vivre de façon plus harmonieuse, voici un premier exercice.

✎ Dressez une liste de vos souhaits, des écarts entre la vie réelle et la vie rêvée, en complétant les phrases suivantes.

• Ma vie serait parfaite si _____

_____

_____. (Par exemple : je n'avais pas à faire une heure de voiture pour me rendre au travail.)

• Si je pouvais recommencer ma vie, je changerais _____

_____

_____. (Par exemple : ma consommation d'alcool, mon mari, ma femme.)

• Au lever ce matin, tous mes problèmes étaient disparus. Voici ce qui avait changé : _____

_____

_____. (Par exemple : je ne m'inquiétais plus pour mes enfants.)

• Si je gagnais un gros lot à la loterie, je comblerais mes journées en

_____

_____

_____. (Par exemple : faisant du bénévolat auprès des jeunes en difficulté, en peignant des toiles.)

Ça donne des idées de changements à faire dans votre vie ! C'est encore difficile ? Voici donc un exercice un peu plus radical.

✎ Imaginez que vous êtes décédé et qu'on vous donne l'occasion d'écrire votre propre hommage qui sera lu lors de vos funérailles ou toute autre célébration mortuaire. Pour ce faire, complétez les phrases suivantes.

- Nous sommes réunis ici aujourd'hui pour un dernier au revoir à _____ [votre nom]. Le monde a un grand besoin de gens qui _____ _____ et _____ _____ [votre nom] était la bonne personne pour répondre à ce besoin.

- _____ [votre nom] s'est réalisé pleinement lorsque _____ _____ _____ _____ _____.

- Je crois que _____ [votre nom] est venu sur la terre pour _____ _____ _____.

- Le monde est meilleur depuis que _____ _____ [votre nom] y est passé et nous ne l'oublierons jamais parce que _____ _____.

Petite mise en garde à propos de cet exercice : pour la plupart d'entre nous, la raison d'être sur terre ou la mission de vie peut être ou paraître très simple. Nous ne sommes pas tous des mère Teresa ou des Martin Luther King Jr. (et c'est très bien ainsi !).

Si l'inspiration ne vient pas, demandez à une personne significative de votre entourage (conjoint, enfants, amis) de vous donner des pistes pour ce genre d'hommage. On cherche à savoir quel potentiel cette personne voit en vous ou ce qu'elle espère que vous deveniez. Vérifiez ensuite si cette image vous convient et ajustez-la au besoin. Faites attention en prenant cette méthode de ne pas confondre les souhaits des autres avec les vôtres. Ce n'est pas en tentant toujours de faire plaisir aux autres qu'on accomplit vraiment sa mission de vie. Toutefois, la réflexion en vaut la chandelle, si on en croit une enquête d'Ellen Galinsky (présidente et cofondatrice de Families and Work Institute à New York, rapportée dans son livre *Ask the Children*). En effet, selon cette source, les enfants ne souhaitent pas nécessairement que leurs parents passent plus de temps avec eux. Ils souhaitent surtout que ceux-ci soient moins fatigués et moins stressés. Comme quoi la qualité serait plus importante que la quantité. La morale de cette histoire : faites ce que vous aimez vraiment dans la vie.

Aussi, lorsque vous arriverez au terme de votre vie, pensez-vous que vous risquez de regretter de ne pas avoir assisté à un certain 5 à 7 ou à une certaine réunion de comité ? Il y a fort à parier que vous regretterez plutôt le peu de temps passé avec les gens que vous aimez ou à faire ce qui vous importait vraiment dans la vie. À ce sujet, je vous invite à revenir sur les rubriques portant sur vos valeurs et vos besoins au chapitre 1.

 Un bon moyen de vivre selon ses valeurs et de se dépasser consiste à écrire ses principes de vie, un peu sous la forme d'une mission d'entreprise. Que vous vous exprimiez à l'aide de phrases clés ou d'un texte continu, peu importe, vous allez vous imaginer ce que vous voulez réaliser pour être heureux. Les éléments peuvent être basés sur vos rôles, sur vos objectifs, sur vos valeurs. Vous pouvez inclure des affirmations qui vous aident à vous défaire de votre culpabilité (en enlevant le poids ultime aux « je devrais » et aux attentes perfectionnistes). Ce texte va *devenir un engagement, une promesse que vous allez tenir pour vous-même et envers vous-même. C'est comme créer le plan directeur de votre vie, pour être certain d'en solidifier les fondations et d'en réussir la construction (ou les rénovations).*

- Exemples de missions générales : « Je veux créer de belles choses de mes mains et vivre de mon art », « J'aimerais favoriser l'harmonie et le partage entre les générations ».

- Exemples de missions plus précises : « Je souhaite aider les autres à s'ouvrir au monde et aux autres cultures. Je veux enseigner l'anglais et l'espagnol aux adolescents afin qu'ils puissent participer à des voyages de développement personnel ou d'aide humanitaire. Pour ce faire, je vais terminer mon certificat et économiser sur une base hebdomadaire », « Je veux vivre en harmonie avec la nature. Je désire développer un programme de sensibilisation au compostage pour la garderie que fréquentent mes enfants. Je vais m'inscrire à un club de marche et m'ouvrir à la possibilité de rencontrer un nouveau compagnon de vie ».

Votre mission :

_____

_____

_____

_____

_____

_____

_____

_____

_____

_____

_____

✎ Lorsque votre plan de vie général est dressé, vous pouvez préciser vos objectifs et attentes dans diverses sphères de votre vie.

Travail : _____

Famille : _____

Vie sociale : _____

Vie de couple : _____

Santé : _____

Loisirs et implications communautaires : _____

Finances : _____

Pour que vos objectifs soient adéquats, assurez-vous qu'ils répondent aux critères suivants :

- spécifiques (formulés de façon précise) ;
- mesurables (avec des résultats objectifs) ;
- réalistes (en fonction des ressources et du temps disponibles) ;
- pertinents (en lien avec votre mission et vos valeurs) ;
- orientés vers l'action et valorisants (bon degré de défi, pas trop facile ni trop difficile).

Au besoin, reformulez vos objectifs.

Travail : _____

Famille : _____

Vie sociale : _____

Vie de couple : _____

Santé : _____

Loisirs et implications communautaires : _____

Finances : _____

Une fois la formulation terminée, repérez immédiatement les incohérences dans vos objectifs. Par exemple, si vous souhaitez à la fois obtenir une promotion au travail et vous impliquer bénévolement dans le club sportif de votre fils, cela est peut-être difficilement conciliable. Aussi, la volonté de travailler quatre jours par semaine tout en remboursant votre hypothèque d'ici deux ans est fort probablement irréaliste. Dans le cas de telles incongruités, modifiez la formulation de votre objectif ou, encore plus simplement, son échéance. Rappelezvous qu'il est possible de tout avoir, mais pas tout en même temps. C'est beau rêver, mais les rêves irréalistes amènent leur lot de déceptions et d'insatisfactions inutiles.

Lorsque la liste des objectifs est établie, déterminez-en l'ordre chronologique. Certains objectifs sont à court terme, d'autres à moyen terme et d'autres encore à long terme. Certains sont reliés, en ce sens que l'atteinte d'un objectif constitue une étape dans la réalisation d'un autre objectif plus global. À ce stade-ci, vous êtes donc invité à placer vos objectifs dans un ordre logique, un peu à l'image d'un plan d'action stratégique. Vous pourriez aussi y ajouter les ressources disponibles, les qualités requises pour atteindre votre objectif et les compétences à acquérir. Cette rubrique sur la mission de vie et les objectifs m'apparaît cruciale. Vous pourriez être tenté de passer à la suivante en vous disant que c'est un peu exagéré, que ça demande trop d'efforts. Mais je vous suggère d'essayer au moins d'y réfléchir, de trouver quelques mots qui représentent vos objectifs de vie. C'est essentiel pour garder le cap sur ce qui est vraiment important pour vous. Vous trouverez les outils pour élaborer votre planification stratégique à l'annexe 3.

En outre, comme on peut fixer des objectifs à des équipes de travail et les suivre avec un tableau de bord (critères d'évaluation et indicateurs de succès), vous pouvez également créer une mission familiale et des objectifs communs avec un groupe de personnes qui vous sont chères. Il suffit d'énoncer les principes de base de l'harmonie et de vous mettre tous d'accord sur ceux-ci. Oui, gérer sa maison et sa vie personnelle comme on gère une organisation, à la fois de façon ferme et flexible, dans un mélange de discipline et de plaisir. Pourquoi pas ?

Enfin, lorsque votre mission et vos objectifs sont déterminés, il est primordial de passer à l'action immédiatement en vue d'atteindre un de vos buts à court terme. Par exemple, si vous voulez suivre un cours, prenez le temps d'appeler dans au moins une école pour connaître les horaires et les périodes d'inscription. Lisez vos engagements chaque jour et imaginez-vous en train de réaliser vos objectifs. En programmant ainsi votre cerveau, les idées les plus farfelues peuvent devenir de plus en plus réalisables, et la confiance acquise aura plus de chances de vous mener vers le succès.

Voici huit principes de base à garder en tête lorsqu'on redéfinit sa façon de concilier les principales sphères de sa vie, selon Cali Williams Yost.

1. Je peux prendre l'initiative dans tous les aspects de ma conciliation travail-vie personnelle.

2. Il existe un nombre infini de façons d'équilibrer sa vie entre les deux extrêmes *travail seulement* et *pas de travail*, même le plus petit changement peut faire une grande différence.

3. Oser demander, malgré la peur du refus. Garder en tête que se faire dire un non réel est un cadeau car on sait au moins à quoi s'en tenir et on n'entretient pas le regret de ne pas avoir tenté sa chance.

4. Reconnaître sa valeur ajoutée pour l'entreprise et à la maison – 60 % est mieux que 0 %.

5. Mon supérieur devrait approuver ma proposition de conciliation, car elle est sensée non seulement pour moi, mais aussi pour les affaires (voir les stratégies à la page 162).

6. On peut chercher un meilleur équilibre travail-vie personnelle pour quelque raison que ce soit.

7. Au fur et à mesure que le travail et la vie personnelle vont changer, la conciliation travail-vie personnelle va évoluer.

8. Je vais faire preuve de patience et persévérer.

Cependant, il est parfois difficile de persévérer lorsque les obstacles se présentent sur notre route. C'est pourquoi il est utile de nous exercer aux stratégies de résolution de problèmes, pour que les difficultés fassent enfin place aux solutions.

La résolution de problèmes : comment devenir plus habile ?

Les habiletés de résolution de problèmes sont très utiles dans toutes les sphères de notre vie. Nous exercer à les mettre en pratique pour des petits problèmes peut nous rendre plus efficaces lorsque vient le moment de résoudre des problèmes plus importants. Les étapes à suivre sont les suivantes :

1. Définir le problème de façon objective ;
2. Décrire l'objectif à atteindre ;
3. Faire une liste non censurée des solutions possibles (comme dans un remue-méninges, écrire tout ce qui vous vient à l'esprit sans juger) ;
4. Évaluer les solutions possibles (les avantages et les inconvénients) ;
5. Choisir une solution ;
6. Imaginer la solution et en planifier la réalisation ;
7. Implanter la solution ;
8. Évaluer la solution et s'ajuster au besoin (en revenant aux étapes 3 ou 4 si nécessaire).

Pour faciliter l'implantation d'une solution (ou d'une stratégie de conciliation), mettez l'accent sur les avantages que vous pensez en retirer.

Selon le principe de Pareto présenté précédemment, 80 % des résultats dépendent de 20 % des efforts. Pour être efficace, il s'agit de relever quels sont ces petits gestes, ces petites actions simples qui sont si payantes. Voici une matrice d'évaluation des solutions en fonction de ce principe :

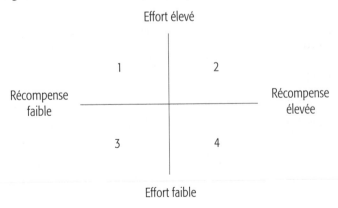

Pour chacune des situations à résoudre, classez les solutions dans le quadrant approprié et tentez de mettre en action d'abord les solutions qui se retrouvent en bas à droite (quadrant 4), c'est-à-dire celles qui représentent un effort minime et un potentiel de résultat ou de récompense élevé. Lorsqu'on fait cet exercice régulièrement, on se rend compte que beaucoup de gestes simples et gratuits (par exemple, sourire à quelqu'un, faire un bouquet de fleurs, etc.) procurent un sentiment de bien-être disproportionné par rapport à l'effort fourni. L'idée de base à garder en tête : toujours plus de positif pour moins de négatif. Comme ces notions sont subjectives, la solution optimale pour une personne pourrait être tout à fait différente de celle de son voisin qui a des compétences et des intérêts différents. Par exemple, pour gagner en qualité de vie, la récompense de repos et de gain de productivité peut être équivalente entre les options « utiliser le transport en commun » et « déménager plus près de son lieu de travail ». Cependant, en termes d'effort, le changement de mode de transport (qui serait dans le quadrant 4) est beaucoup moins coûteux qu'un déménagement (qui serait dans le quadrant 2). Malgré tout, certains pourraient choisir l'option déménagement afin de se rendre au travail à vélo. Toutefois, il revient à vous de faire un choix qui vous convient. L'exercice de prise de décision exposé au chapitre 2 pourrait encore une fois vous être utile.

Problèmes et solutions : des idées pour vous inspirer

À la suite d'une enquête que j'ai menée en 2008-2009 auprès de familles nombreuses (trois enfants et plus), j'ai relevé une série de problèmes de conciliation qui reviennent fréquemment. Comme à tout problème il y a une ou plusieurs solutions, voici mes suggestions. À vous de choisir les vôtres !

Les exigences relatives au travail

Durée des déplacements quotidiens pour aller et revenir du travail

- Utiliser le transport en commun (autobus, métro, train de banlieue) pour optimiser son temps (lire, travailler, relaxer, etc.).
- Modifier son trajet (parfois le plus long est moins essoufflant car il y a moins de correspondances, donc plus de temps pour lire ou se détendre).

- Modifier son horaire pour profiter des périodes où la circulation est moins dense.
- Faire du télétravail.
- Trouver un emploi plus près du domicile.
- Déménager plus près du lieu de travail. (Saviez-vous que les frais de déménagement peuvent être déductibles d'impôt si votre nouvelle adresse réduit d'au moins 40 km la distance qui vous sépare de votre nouveau lieu de travail ? Bel incitatif pour les contribuables canadiens !)

Impossibilité d'être contacté ou dérangé pendant le travail
- Instaurer un système de message ou de code d'urgence avec la garderie, l'école, le conjoint.
- Trouver une personne-ressource pour prendre la relève en cas de besoin (membre de la famille élargie, voisin, etc.) si le conjoint ne peut se déplacer rapidement.

Problèmes de garde des personnes à charge dus à des horaires atypiques (par exemple, travail de soir, de nuit, de fin de semaine, horaires coupés, statut temporaire, sur appel – des formules de travail qui sont en constante progression et qui s'éloignent de l'horaire scolaire)
- Adapter son horaire de travail en conséquence (réserver alors des plages horaires spécifiques pour le couple), ou encore un des parents reste à la maison.
- Embaucher un étudiant pour les périodes de transition.
- Faire garder les enfants une partie de la journée ou de la nuit chez un voisin ou les grands-parents s'ils habitent assez près.
- Embaucher une éducatrice (nounou) à la maison (la gardienne peut être exclusivement pour votre famille, ou «partagée» avec des voisins, ce qui diminue grandement les coûts). Certaines agences offrent même la possibilité d'avoir quelqu'un qui réside en permanence chez vous (voir «Ressources et références»).

Horloge biologique non compatible avec l'horaire de travail
- Avoir un horaire flexible.
- Faire du télétravail.
- Devenir pigiste.
- Changer d'emploi.

Pression au travail (délais serrés, etc.)

- Se fixer une heure pour rentrer du travail et la respecter.
- Diminuer le perfectionnisme – mettre l'accent sur le fond et non sur les détails de la forme.
- Négocier des vacances une fois les délais atteints.
- Réclamer un poste moins exigeant.
- Demander une réorganisation du travail (meilleure planification, simplification des processus, etc.).

Travail avec le conjoint ou un membre de la famille

- Se doter de critères objectifs (si l'un est le gestionnaire de l'autre).
- Trouver un rituel de transition pour séparer le travail de la vie personnelle.
- Régler les conflits au fur et à mesure, au moment et à l'endroit appropriés.

Manque de soutien du supérieur immédiat

- Écrire ses engagements familiaux dans son agenda professionnel.
- Obtenir du soutien des collègues.
- S'assurer d'atteindre ses objectifs et de se démarquer autrement qu'en temps de présence au travail (par exemple, par des initiatives profitables).

Impossibilité de travailler de la maison

- Utiliser le transport en commun et travailler durant les déplacements.
- Aménager son horaire pour accomplir tout ce qu'il y a à faire au travail dans des heures raisonnables (pour vous).
- Déléguer des tâches.

Toujours trop de travail rapporté à la maison

- Demander une banque d'heures et de crédits (à prendre en congé).
- Diminuer le perfectionnisme, c'est-à-dire mettre l'accent sur le fond et non sur les détails de la forme.
- Déléguer des tâches.

Heures supplémentaires imposées ou imprévues

- Refuser.
- Demander une banque d'heures et de crédits (à prendre en congé).
- Proposer un appel conférence à partir de la maison pour une réunion.

Voyages d'affaires fréquents ou prolongés

- Planifier les tâches différemment pendant l'absence d'un des deux parents.
- Amener la famille (le conjoint ou un enfant) à l'occasion pour vivre une expérience différente.
- Demander de l'aide (pour le conjoint qui reste seul).
- Remplacer certains déplacements par la téléconférence (webcam).
- Voyager de nuit pour limiter le temps de déplacement perdu.
- Garder contact avec la famille (appels, courriels, webcam).

Membre du couple qui accepte un poste dans une autre région

- Entretenir la relation à distance.
- Alterner les visites les fins de semaine.
- Garder contact avec la famille (appels, courriels, webcam).
- Séparation temporaire (ou permanente).

Expatriation

- Demander le soutien de l'employeur (relocalisation du conjoint, aide à la recherche de service de garde ou d'école, etc.).
- Faire appel à des organismes communautaires qui aident les immigrants à s'intégrer.

Les exigences relatives à la vie personnelle

Fatigue, problèmes de santé

- Travailler à temps partiel ou prendre sa retraite progressivement.
- En faire moins (par exemple, passer l'aspirateur une semaine sur deux, acheter des repas nutritifs préparés du commerce).
- Demander de l'aide (parenté, amis, CLSC, organismes de bénévoles du quartier, etc.).

Retour aux études d'un des conjoints (à temps plein ou partiel)

- En faire moins (par exemple, passer l'aspirateur une semaine sur deux, acheter des repas nutritifs préparés du commerce).
- Demander de l'aide (parenté, amis, CLSC, organismes de bénévoles du quartier, etc.).

Enfant seul à la maison après l'école

- Inviter un parent âgé à habiter à la maison.
- Embaucher un étudiant (aide aux devoirs).
- Demander la collaboration d'un voisin (surveillance, urgences, etc.).

Enfant ayant des besoins particuliers (par exemple, trouble de comportement)

- Embaucher un étudiant en éducation spécialisée.
- Alterner les journées ou les semaines de «responsabilité principale» entre les deux parents.
- S'offrir du répit (seul ou en couple).

Soins à un parent malade ou âgé

- Trouver un collègue pour prendre la relève au travail en cas d'urgence.
- Discuter des solutions avec les parents et les enfants, les impliquer (surtout s'ils approchent de l'adolescence) de façon à favoriser le contact intergénérationnel.
- Faire appel au bénévolat, aux organismes qui offrent des soins à domicile.
- Demander un congé sabbatique (ou un traitement différé).
- Ne pas tout prendre sur ses épaules (partager les tâches avec ses frères et sœurs ou autres membres de la famille si possible).

Difficulté à prendre sa douche sans s'inquiéter de ce que font les enfants

- La prendre plus tôt le matin ou plus tard le soir quand les enfants sont couchés.

- Permettre aux plus jeunes de rester dans la salle de bain avec un jeu tranquille.
- Permettre aux plus vieux de jouer à un jeu vidéo dans une pièce à proximité.

Manque de temps pour faire les courses
- Profiter de l'heure du lunch.
- Magasiner dans des grandes surfaces pour combiner plusieurs achats.
- Faire des achats par catalogue ou en ligne.
- Faire appel à un service de conciergerie ou à un coursier personnel.

Manque de temps pour faire du bénévolat
- Faire des dons à des organismes de charité.
- S'impliquer dans les activités des enfants.
- Travailler à temps partiel ou prendre sa retraite progressivement.

Manque de temps pour l'entretien
- Embaucher un étudiant (par exemple, déneigement, gazon, etc., directement ou par l'entremise d'une Coopérative Jeunesse).
- Embaucher une aide domestique (par exemple, repas, lavage, etc., notamment grâce à une entreprise d'économie sociale, parfois payée en partie par la Régie de l'assurance maladie du Québec pour les personnes admissibles).
- Répartir les tâches dans la famille (par exemple, chacun fait son propre repassage), faire une rotation pour les tâches moins agréables ou les transformer en jeu (on pige la tâche dans un pot et on gagne des points, on met de la musique drôle ou entraînante, etc.), faire un blitz de ménage ensemble et se récompenser à la fin.
- Regrouper les tâches semblables (par exemple, laver tous les miroirs en même temps, épousseter partout une autre fois, etc.).
- Nettoyer la salle de bain ou plier des vêtements pendant que les enfants sont dans le bain lorsqu'ils sont relativement autonomes.

Sachez que ces listes de suggestions ne sont pas exhaustives. Ce sont des pistes de solution, mais d'autres peuvent exister et qui ont échappé à ma connaissance au moment de les écrire. Si vous souhaitez me faire part de vos solutions, n'hésitez pas à m'écrire à l'adresse courriel mentionnée à la fin du livre. Je suis toujours heureuse d'avoir des nouvelles des lecteurs.

La réalité des familles monoparentales : comment garder la tête hors de l'eau – encore plus de solutions

Dans le contexte des familles monoparentales, de plus en plus nombreuses au Québec, des défis additionnels s'imposent. Lorsque les parents bénéficient d'une garde partagée, chaque parent peut heureusement avoir quelques journées de répit pour se ressourcer (dans la mesure où l'ennui de la présence des enfants ne prend pas le dessus...). Par ailleurs, pour certaines familles, la monoparentalité se vit sans relâche, tous les jours de l'année. Il faut être solide pour traverser les océans et les tempêtes en étant seul capitaine à bord ! Voici quelques trucs qui pourraient alléger la vie de ces héros des temps modernes.

- Faire ses courses chaque semaine en une seule fois et acheter des produits à l'avance (produits d'entretien, cartes d'anniversaire et cadeaux, etc.) en profitant des réductions.

- Obtenir du soutien de l'ex-conjoint (temps ou argent), de la famille élargie ou des services sociaux (ressources communautaires).

- Participer à une cuisine collective.

- Prendre une journée à la fois.

- Se faire un budget et le respecter.

- Permettre aux enfants de dormir chez leurs amis à l'occasion.

- Échanger des services avec les voisins (par exemple, gazon, courses, gardiennage, devoirs, etc.).

- Embaucher un étudiant (ou l'héberger en louant une chambre en échange de services).

Bref, que vous soyez à la tête d'une famille monoparentale par choix ou en raison des circonstances de la vie, la clé est de ne pas vous isoler. Le réseau social est important pour tous, mais encore plus pour vous, sachez en profiter !

Comme vous le savez, plusieurs changements peuvent être mis en place pour faciliter la conciliation. Vous en trouverez quelques exemples supplémentaires dans les rubriques qui suivent.

La formation et le développement des compétences : apprendre tous les jours de sa vie

Puisque vous êtes maintenant rendu à l'étape de la mise en œuvre de vos objectifs de vie, vous avez sans doute établi, grâce à la lecture des quatre premiers chapitres, vos véritables besoins en matière de conciliation. Que ce soit la gestion du temps, des priorités, du stress ou l'art de déléguer, communiquer ou négocier, plusieurs firmes de formation offrent des séminaires en ce sens. La plupart peuvent même être remboursés par votre employeur selon le programme de la loi 90 qui favorise le développement de la formation de la main-d'œuvre et qui stipule que les employeurs assujettis doivent investir au moins 1 % de leur masse salariale en formation chaque année.

Par ailleurs, si vous préférez une démarche plus personnalisée, faire appel à un psychologue, à un coach de vie ou à tout autre spécialiste qualifié en relation d'aide peut s'avérer très bénéfique. Les séances peuvent aussi être remboursées en partie par la majorité des plans d'assurances collectives. Enfin, la lecture de livres de croissance personnelle constitue en outre un bon moyen, dans la mesure où vous êtes suffisamment motivé pour mettre en application les principes qui y sont décrits !

Démarrer ma propre entreprise, est-ce une bonne option pour moi ?

Certaines personnes ont une fibre entrepreneuriale plus développée ou ont un plus grand besoin d'autonomie et de contrôle. Pour ces personnes, il peut être intéressant d'envisager l'avenue du travail autonome ou du démarrage d'entreprise qui peut prendre différentes formes :

- Devenir pigiste et offrir ses services à son employeur actuel ;
- S'associer à quelqu'un d'un domaine connexe pour offrir des services ou un produit ;
- Ouvrir ou acheter un commerce ;
- Acheter une franchise ;

- Suivre un cours pour offrir un service (par exemple, la massothérapie) ;
- Etc.

Avant d'entreprendre une telle aventure, il convient d'examiner les avantages et les inconvénients qu'elle comporte. Pour ce qui est des avantages, notons, entre autres :

- une autonomie décisionnelle ;
- une plus grande liberté ou flexibilité dans le choix des horaires, des vacances, etc. ;
- un grand sentiment de fierté et d'accomplissement de soi.

Quels sont les avantages qui vous motivent ?

Par ailleurs, ce type de travail comporte des inconvénients qu'il est inutile de se cacher :

- des fluctuations du revenu et un risque d'échec, donc un sentiment de pression ou de stress accru ;
- un besoin d'être polyvalent et multidisciplinaire (on est à la fois vendeur, comptable, professionnel, gestionnaire, etc.) ;
- un grand investissement de temps et d'énergie, surtout dans les premiers mois ou les premières années du démarrage ;
- parfois, la liberté d'horaire n'est pas applicable car on se plie aux attentes des clients (service rapide, plus d'heures à consacrer, services les soirs et les fins de semaine, etc.).

Êtes-vous prêt à faire face à ces inconvénients ?

Si votre motivation provient davantage de l'aspect accomplissement lié à l'entrepreneuriat, il est fort probable que la carrière soit prédominante dans vos intérêts. Cependant, si votre choix est plutôt motivé par la flexibilité, c'est peut-être parce que vous voulez investir particulièrement dans votre vie personnelle. Peu importe votre motivation, sachez toutefois que l'entreprise que vous bâtissez ou développez devient rapidement votre nouveau «bébé», votre passion. La conciliation n'est pas toujours facilitée par cette situation, notamment dans la phase de démarrage. Vous devrez alors être d'autant plus discipliné pour prendre soin de vous et vous investir aussi dans quelques autres sphères de votre vie.

Si cette voie vous attire mais que vous hésitez à vous lancer tête baissée dans l'aventure, il pourrait être pertinent pour vous de garder un certain filet de sécurité. C'est possible en continuant d'être salarié à temps partiel tout en vous préparant à acquérir les outils requis pour démarrer votre entreprise, dans la mesure où votre produit ou service n'entre évidemment pas en concurrence avec celui de votre employeur. Cette combinaison de deux emplois peut se réaliser sur une base temporaire pendant une période de transition, et elle peut même devenir votre mode de vie sur une base permanente. De quoi allier le meilleur des deux mondes : sécurité et réseau social d'une part, flexibilité et autonomie d'autre part.

Carrière à la carte

Approfondissons un peu l'idée du meilleur des mondes énoncée précédemment. Pour créer votre carrière idéale, le chemin n'est plus du tout linéaire comme c'était le cas pour les générations qui nous ont précédés. Vous pouvez maintenant vous permettre le luxe de répartir votre temps de travail en fonction d'une combinaison créative de quelques choix qui suivent :

- Travail à temps partiel (salarié ou pigiste) – on peut en combiner plusieurs pour allier sécurité et motivation ou plaisir ;
- Horaire flexible (même découpé) ;
- Partage de poste ;
- Mandats temporaires ;
- Semaine comprimée (quatre jours sur cinq ou neuf jours sur dix) ;
- Télétravail.

Ces modalités d'emploi sont décrites plus en détail dans l'annexe 4 portant sur les pratiques organisationnelles.

Les objectifs de ces façons de faire non traditionnelles sont de devenir plus efficace (en révisant vos tâches et votre horaire en fonction de votre rythme biologique) et d'obtenir plus de flexibilité. Un autre avantage à ne pas négliger : ce type d'arrangement de carrière permet de ne pas mettre tous ses œufs dans le même panier. En effet, si le travail de pigiste va au ralenti pendant un certain temps, il reste quand même un revenu stable à temps partiel. Si votre poste de salarié est coupé, il reste quand même d'autres sources de revenus potentiels. Si le site de votre employeur est incendié, il vous reste quand même la possibilité de travailler à partir de la maison.

Pour certaines personnes qui ne veulent ni s'investir complètement dans une carrière ni la sacrifier complètement, le fait de se rendre disponible pour effectuer des remplacements sur une base temporaire peut être une option intéressante. Ainsi, que ce soit pour les fameux congés de maternité d'environ un an ou des périodes plus courtes, une alternance de périodes de revenus et de périodes de repos peut être très salutaire. Certaines agences embauchent même ce type de personnel, que vous soyez dans un domaine spécialisé ou non. Assurez-vous cependant d'avoir une très bonne capacité d'adaptation (nouveaux collègues, nouvelle culture) et une très bonne capacité d'apprentissage, puisque certains remplacements urgents se font sans grande formation préalable. Le travail à temps partiel représente également une option de plus en plus populaire. À juste titre, et grâce à des incitatifs gouvernementaux, un tiers de la population des Pays-Bas occupe maintenant des postes à temps partiel[21]. Le Québec accuse un certain retard à ce sujet, mais je suis confiante que les mentalités finiront par évoluer en ce sens.

Négocier des arrangements flexibles au travail : préparation et conviction

Si vous êtes salarié et que vous souhaitez le demeurer, vous pouvez améliorer votre sort en faisant certaines demandes à votre employeur. C'est une bonne idée de définir tout d'abord à quoi ressemble pour vous le travail idéal, afin de négocier les aspects qui sont réellement importants pour vous : tâches, conditions, sécurité, climat, variété, style de gestion, autonomie, salaire, avantages sociaux, mentorat, développement, horaires, équipe, etc. Déterminez deux ou trois aspects qui ont une grande importance à vos yeux, ceux que vous souhaitez négocier.

Comme point de départ, un bon exemple de demande de conciliation consiste à s'assurer auprès des gestionnaires qu'il n'y aura pas de

---

21. C. Honoré, *Éloge de la lenteur*, 2005.

réunions tôt le matin ou tard le soir, ou encore que celles-ci ne seront pas organisées à la dernière minute. La clé est donc de planifier un horaire stable de réunions en milieu de journée.

Impliquez le responsable des ressources humaines (RH) dès le début s'il est un partenaire stratégique dans l'organisation. Si son rôle est plus administratif, impliquez-le notamment pour consigner la proposition à votre dossier d'employé. Mettez toujours l'entente par écrit (au cas où le patron quitte l'entreprise...) en indiquant la date et les spécificités de l'entente, les changements au travail avec des solutions pour les problèmes potentiels, les besoins (par exemple, un télécopieur à la maison), les avantages pour l'entreprise, les attentes quant à l'avancement et au maintien des avantages sociaux, la signature des deux parties démontrant la compréhension de l'entente et la date de révision. Ne mentionnez pas vos raisons personnelles car elles peuvent embarrasser le gestionnaire dans sa décision (jugement de valeur). Soyez prêt à négocier certains aspects, en sachant ce sur quoi vous ne pouvez faire des concessions (exercez-vous avec quelqu'un pour préparer vos arguments, sans être sur la défensive). Choisissez le bon moment et laissez du temps au gestionnaire pour y penser et pour comprendre ses peurs. Il peut craindre notamment qu'en créant un précédent tout le monde veuille la même chose. Cela n'arrive pratiquement jamais, vous pouvez le rassurer.

De façon générale, une proposition d'arrangements flexibles est mieux acceptée si elle est présentée sous la forme d'une période d'essai ou d'un projet pilote. Communiquez rapidement le plan à votre équipe de travail pour éviter la machine à rumeurs et rassurer les autres de votre engagement envers l'entreprise. En vous proposant comme premier «cobaye», vous pourrez ainsi bénéficier de votre nouvel arrangement pour une période de trois à six mois. Par la suite, vous vous rassoyez avec votre supérieur immédiat (et collègues, clients internes et externes au besoin) pour une réévaluation de la situation. Vous pouvez alors décider d'abandonner l'arrangement, de le modifier ou de le poursuivre tout en officialisant la pratique pour que l'ensemble du personnel admissible puisse en profiter. Pour quantifier les mesures «avant-après», vous pouvez bâtir un petit questionnaire simple, axé sur la performance et sur la satisfaction, de façon à démontrer clairement que la situation s'est améliorée (gagnant-gagnant) ou est restée stable (neutre). Si la situation s'est détériorée, trouvez-en l'explication pour apporter les changements qui s'imposent afin de ne pas perdre votre arrangement si celui-ci vous convient. Ce type de mise au point peut s'appliquer non seulement au milieu de travail, mais aussi au conjoint ou aux enfants qui pourraient se prononcer sur l'impact des changements expérimentés sur la qualité de vie à la maison.

Communiquez ensuite votre plan à votre supérieur en lui présentant vos arguments (« *What's in it for the company* ») selon l'impact attendu sur les éléments suivants, pour une situation gagnant-gagnant :

- Augmentation de votre productivité ;
- Augmentation de votre engagement au travail et de la loyauté envers l'entreprise ;
- Argument pour recruter et retenir les meilleurs employés (notion d'employeur de choix) ;
- Augmentation de la rentabilité (les trois premiers éléments ont souvent des retombées financières positives pour l'entreprise en ce qui a trait aux profits et à la valeur de l'action, grâce, entre autres, à l'amélioration de la satisfaction de la clientèle).

Un calcul du retour sur investissement peut aussi s'avérer convaincant. Pour cela, il est toutefois très utile de faire appel à des consultants externes en gestion des ressources humaines ou en psychologie industrielle, afin d'éviter tout risque de parti pris, ou du moins de soupçons selon lesquels vous avez fait parler les chiffres à votre avantage.

Pour convaincre les employeurs récalcitrants qui craignent que toute l'organisation ne soit chambardée par les programmes de conciliation, il est utile de savoir qu'outre les horaires flexibles (qui sont adoptés par près de 10 % des employés), environ 1 à 2 % des employés seulement se prévalent des autres pratiques (par exemple, télétravail ou horaire comprimé). De plus, selon une étude de Gottlieb *et al.* (1998), les arrangements flexibles n'ont pas d'impact négatif sur la charge de travail, les budgets ou la planification des gestionnaires.

Pour que les demandes de flexibilité soient vraiment efficaces, vous pouvez même proposer qu'elles fassent partie des objectifs des gestionnaires, c'est-à-dire que ceux-ci soient évalués sur leur capacité à favoriser la conciliation chez leurs employés. Ça peut vraiment donner des résultats puissants ! Ces pratiques peuvent être perçues comme un outil de gestion stratégique, et leur réussite requiert un véritable travail d'équipe. Implanter une culture favorable à la conciliation dans les organisations passe directement par le leadership des gestionnaires de premier niveau. En effet, même si les mesures sont disponibles mais que le superviseur n'encourage pas leur utilisation, c'est toute l'organisation qui sera perçue non favorable.

Voici quelques trucs pour augmenter les chances de réponse affirmative à votre demande.

- Préparez-vous aussi bien que pour une entrevue ou une présentation professionnelle ; par exemple, en relisant consciencieusement le manuel d'employé ou la convention collective, en faisant une petite étude de balisage (*benchmarking*) de ce qui se fait dans les organisations similaires, en pratiquant des réponses aux objections potentielles. À ce propos, en voici quelques-unes.

  1. « On n'a jamais fait ça, ce n'est pas dans nos règles. » Réplique : « Ça prend une première fois à tout. Il y a déjà eu un temps où ce n'était pas dans nos règles d'accepter des retours de marchandise et maintenant on trouve ça normal. »

  2. « Et si j'ai une autre demande, je ne peux accommoder deux employés dans le même service. » Réplique : « Dans la mesure où notre arrangement ne nuit pas au fonctionnement de l'équipe, ça vaut la peine de l'essayer. »

  3. « Si je te permets de le faire, tout le monde va vouloir le faire ! » (Le fameux précédent...) Réplique : « Pas nécessairement, il semble que le pourcentage de gens qui utilisent les pratiques de conciliation n'est pas si élevé que ça. Plusieurs ne sont pas prêts à changer leurs habitudes ou à faire les sacrifices que ça impose. »

  4. « Tu gères du personnel, tu ne peux pas travailler de la maison ou à temps partiel. Que va faire ton équipe pendant que tu ne seras pas là ? » Réplique : « Je sais que je peux faire confiance à la majorité de mes employés. J'ai commencé à prévoir des mécanismes de suivi et de communication à distance. De plus, Untel pourrait me faire des comptes rendus réguliers de ce qui se passe pendant mon absence, ça fait partie de son plan de développement. »

- Choisissez le moment propice, c'est-à-dire une période de l'année où l'entreprise ne réalise pas de mandats particulièrement exigeants, n'est pas dans une situation de manque d'effectifs ou dans l'implantation de changements majeurs, etc., ou encore une période où votre patron est en processus de divorce, donc pas très réceptif.

- Prenez un rendez-vous formel d'au moins une demi-heure avec votre patron afin de vous assurer de sa disponibilité à vous écouter, en choisissant le moment où vous savez qu'il est généralement mieux disposé (matin, heure de lunch ou après-midi).

- Remettez-lui un document écrit présentant les grandes lignes de votre proposition (atteinte de vos objectifs, avantages pour l'entreprise en termes de productivité ou économies, solutions aux problèmes éventuels, conditions, durée de l'essai, etc. ; voir le modèle dans l'annexe 5). Utilisez son approche favorite (texte détaillé ou points sommaires), il pourra ainsi mieux vendre l'idée à ses propres supérieurs s'il y a lieu. Évitez également d'exposer vos raisons personnelles – comme pour une augmentation de salaire, c'est la justification professionnelle qui compte vraiment pour l'entreprise.

- Démontrez une attitude convaincante et passionnée, ainsi qu'une certaine flexibilité (par exemple, ouverture à interrompre l'entente temporairement lors des périodes de pointe). En ce sens, vous pouvez prévoir un autre plan avec quelques concessions au cas où vous feriez face à des objections, ou encore reporter votre demande à un moment plus favorable.

En somme, assurez-vous que votre patron ne pourra que répondre : «Eh bien, pourquoi pas? Je ne vois pas pourquoi ça ne pourrait pas fonctionner !» Et ce, même si vous êtes un homme, un employé sans enfants ou une personne de plus de 50 ans. Croyez-y tout simplement ! Si vous travaillez pour le même patron depuis au moins un an, que vous êtes réputé être un employé fiable et performant et que vous avez bien préparé votre dossier, il y a au moins 80 % de chances que votre demande soit acceptée[22]. Dans certaines entreprises, on va même jusqu'à demander aux gestionnaires de prouver que l'arrangement

22. Pat Katepoo, de Work Options : www.vault.com.

souhaité ne fonctionnera pas avant de refuser une demande. Inutile d'ajouter que peu de demandes sont refusées.

Lorsque votre démarche fonctionne et qu'il est question de l'implanter à plus grande échelle dans l'entreprise, il est primordial d'obtenir d'abord l'appui de la direction et des syndicats s'il y a lieu. Pour appuyer votre argumentation, dans un contexte où on parle de «pénurie de main-d'œuvre» et de «rétention du personnel», n'oubliez pas de mentionner au représentant de l'employeur que toutes les pratiques qui favorisent la conciliation, donc qui augmentent la perception des employés que l'employeur est sensible à leur réalité personnelle, contribuent à augmenter l'engagement des employés envers l'entreprise. Si l'objectif de celle-ci est de devenir un employeur de choix ou encore d'implanter l'une des normes ISO «Entreprise en santé» ou «Conciliation travail-famille», ce sont les premiers pas vers une transformation culturelle qui sera fort appréciée.

Ne vous attendez pas à la perfection. Rien n'est parfait, mais tout peut être mieux. Si vous décidez finalement de quitter votre emploi, faites-le si possible en bons termes en réglant vos dossiers et en prenant le temps de former votre remplaçant.

Les obstacles : comment dénouer certaines impasses ?

Selon Cali Williams Yost, quatre types d'obstacles peuvent survenir sur la route de la conciliation.

1. Obstacle du succès

Les objectifs liés à l'argent, au prestige, à l'avancement professionnel et aux soins idéaux peuvent avoir besoin d'être redéfinis. Par exemple, une mère peut se dire : «Au fond, ce dont les enfants ont besoin, ce sont des parents à l'écoute, qui les encouragent et les aiment.» Relire souvent cette définition d'une bonne mère peut l'aider à surmonter la culpabilité de ne pas cuisiner des plats faits maison tous les soirs.

2. Obstacle de la peur

La peur du refus est-elle basée sur des faits ou sur des impressions ? La situation de ceux qui se sont fait dire non par le passé ne pouvait pas être identique à la vôtre. Aussi, la perception du gestionnaire peut finir par évoluer, après une série de requêtes en ce sens.

Vous avez peur de perdre votre emploi? C'est très peu probable, mais de toute façon le plan B risque d'être la démission pour joindre un employeur plus compréhensif (alors, aussi bien avoir une prime de séparation en plus!).

3. Obstacle de la résistance

- De soi-même: «Ça ne marchera pas car...», «Oui, mais...». On peut mettre en doute ces raisons en écoutant la voix de son cœur plus que celle de sa tête.

- De la part des autres: par exemple, Julie quitte le bureau à 16 h et se fait dire: «Je ne savais pas que tu étais enceinte» ou Étienne quitte le bureau à 16 h 30 pour aller chercher ses enfants à la garderie et se fait dire: «Ta femme ne peut pas y aller?» Dans ces cas, il est approprié de s'asseoir avec les interlocuteurs pour discuter des impacts négatifs qu'ils perçoivent (s'il y a lieu) ou de nommer leurs émotions (comme de la jalousie). Si ça ne fonctionne pas, il faut simplement ignorer les remarques de ce genre.

4. Obstacle de la pensée toute faite
On doit penser de façon créative pour créer un nouvel équilibre; se permettre d'imaginer vivre la conciliation idéale, sans contrainte, sans censure, sans idées toutes faites.

Afin de surmonter ces obstacles, voici quelques trucs à tenter de mettre en pratique sur une base régulière, voire quotidienne.

- Croire que vous pouvez réussir (cela entraîne de la volonté et de la motivation).

- Vous imaginer en train de réussir (la visualisation est un outil puissant, parlez-en à des athlètes olympiques, ils se sont tous déjà imaginés sur le podium en train de recevoir leur médaille, voire en train de chanter leur hymne national en pleurant).

- Agir comme si vous aviez déjà atteint votre objectif (en étant plus souriant, plus calme, etc.).

✎ Si la situation actuelle demeure difficile à vivre et à changer, faites l'exercice suivant: trouvez 10 aspects positifs qui découleraient d'un changement personnel ou professionnel, ou qui n'existeraient pas si la situation restait telle quelle ou était autrement. (Pour vous exercer à ce type de liste, prenons un exemple extrême : trouvez 10 aspects positifs si vous aviez un accident aujourd'hui, par exemple : « Je pourrais faire repeindre ma voiture en partie aux frais de l'assureur », « Je recevrais des fleurs », « Je pourrais échapper à la présentation qui me stresse », etc.)

_____

_____

_____

_____

_____

_____

_____

_____

Voici la liste d'une jeune femme qui se demandait si elle devrait déménager dans une maison avec ses parents.

- Je gagnerais du temps en n'ayant plus autant à me déplacer.
- Je ne m'inquiéterais plus autant de mes parents la nuit et les journées où je ne peux les voir.
- Ma mère pourrait me rendre certains services : nourrir mes poissons lorsque je rentre plus tard, faire des travaux de couture, etc.
- J'aurais peut-être un garage et plus d'espace de rangement.
- Je pourrais me permettre d'acheter un sauna.
- Je me sentirais moins stressée.
- Je me sentirais plus utile et présente à mes parents.
- Je pourrais mieux surveiller le régime alimentaire de ma mère diabétique.
- J'aurais un meilleur contrôle sur la médication de mes parents.
- Je pourrais avoir une aide à domicile pour les soins plus complexes.

Il est certain qu'il y a toujours deux côtés à une médaille et qu'aucune situation n'est parfaite. Cet exercice ne vise donc pas à camoufler tous les inconvénients, mais plutôt à aider à faire taire les petites voix négatives qui n'entendent que les moins bons côtés. La liste des avantages d'un changement peut être le déclic qui amène une motivation et, enfin, un passage à l'action.

Que peuvent faire les entreprises ?

Tout au long de ce livre, les solutions pour les problèmes de conciliation ont été davantage axées sur les individus qui en ressentent le besoin. Cependant, il est clair que les entreprises ont un rôle très important à jouer en ce qui a trait à la prévention et à l'accompagnement des employés qui peuvent éprouver des difficultés de conciliation. Que ce soit pour faciliter le recrutement de personnel compétent ou la rétention des ressources clés, l'entreprise se doit d'être proactive et sensible à la réalité personnelle de son capital humain. Il est largement reconnu dans la documentation sur la conciliation que les deux intervenants organisationnels les plus impliqués dans l'implantation de solutions sont le service des ressources humaines et les gestionnaires. Dans les PME, les gestionnaires sont souvent davantage sollicités, et plus l'entreprise augmente en taille, plus le service des ressources humaines assume la responsabilité[23]. À l'annexe 4, vous trouverez un tableau qui résume les pratiques les plus courantes et efficaces en matière de conciliation.

Toutefois, il est important de noter qu'avant même d'implanter des programmes ou pratiques de conciliation, deux éléments doivent être mesurés : la charge de travail et la reconnaissance. En effet, dans l'amorce de développement d'une culture organisationnelle favorisant l'équilibre de vie, voici quelques questions à se poser au préalable.

- Peut-on modifier les processus pour travailler plus efficacement, c'est-à-dire obtenir des résultats équivalents en moins de temps ?

- Peut-on déléguer ou attribuer certaines tâches à l'externe (en impartition) ?

---

23. Danièle Blain, *La détermination et la gestion des problèmes de conciliation travail-famille en milieu de travail*, Conseil de la famille et de l'enfance et ORHRI – résumé de l'enquête de St-Onge, 2001.

- Peut-on revoir nos priorités ?
- Peut-on embaucher du personnel temporaire, des stagiaires, des employés à temps partiel pour soulager certains postes ?
- Peut-on répartir autrement les secteurs d'affaires ?
- Peut-on clarifier les rôles et les responsabilités de chaque secteur ?
- Peut-on modifier nos façons de communiquer pour éviter d'inonder les boîtes de courriel des employés ?
- Peut-on demander aux employés concernés comment ils préféreraient travailler (par exemple, dans des exercices de type Kaizen visant l'amélioration continue des processus) ?
- Reconnaît-on suffisamment les résultats, l'effort, l'initiative, la créativité (par opposition au nombre d'heures investies) ?
- Peut-on aller jusqu'à reconnaître et communiquer l'implication paraprofessionnelle ou communautaire des employés ?

Pour aller plus loin, les organisations peuvent choisir de se qualifier pour la norme ISO conciliation travail-famille instaurée en 2010 par le Bureau de normalisation du Québec. Pour ce faire, certaines conditions doivent être mises en place. Pensons d'abord à l'engagement de la haute direction dans le développement d'une culture favorable à la conciliation. Ensuite, la formation des gestionnaires de premier niveau qui ont un rôle primordial à jouer dans le succès de cette culture et l'utilisation des pratiques. Enfin, un programme d'aide aux employés, de l'aide financière, des services pratiques, des partenariats externes, du counseling (santé, soin des enfants, des aînés, etc.), des outils de communication et d'information ainsi que du soutien du service des ressources humaines sont tous des atouts indéniables. Pour plus de renseignements en ce sens, consultez le site www.bnq.qc.ca et faites appel à un consultant spécialisé pour vous accompagner dans les étapes d'implantation de pratiques et de politiques.

Dans le milieu de la gestion des ressources humaines, il est reconnu que c'est l'employeur qui se doit de s'accommoder aux besoins personnels des employés, et non aux employés de se plier aux exigences (parfois déraisonnables) de leur employeur. Les syndicats seront d'accord, le bien-être des employés étant gage de productivité, d'engagement et de durabilité au sein de l'entreprise. Il faut toutefois savoir mettre des limites raisonnables, donc, non, les employeurs ne sont pas tenus d'accepter que leur employé dont la maison vient de brûler arrive au travail avec ses trois enfants, sa belle-mère qui souffre de la maladie d'Alzheimer, son chien et ses deux poissons! Toutefois, ils peuvent l'aider à trouver un refuge temporaire et se montrer compréhensifs jusqu'à ce que ses difficultés se soient résorbées.

Pour un changement de culture durable, les gestionnaires doivent apprendre à reconnaître les résultats atteints et non le nombre d'heures passées au travail. En effet, en encourageant les employés à travailler de longues journées, *on renforce littéralement l'inefficacité*. C'est d'autant plus important si l'organisation possède un système d'évaluation ou de bonification au rendement. Aussi, les entreprises gagneraient à octroyer des avantages sociaux équitables aux employés à temps partiel et au personnel temporaire. On dit favoriser la conciliation par les congés parentaux et sans solde. Alors, soyons conséquents et apprécions le travail de ceux qui effectuent les remplacements pour des périodes plus ou moins prolongées.

La formation des gestionnaires s'avère donc essentielle. Car si on met souvent l'accent sur les coûts de l'absentéisme, on ignore ceux, encore plus importants, du présentéisme. Il s'agit du phénomène selon lequel les employés, n'osant pas prendre congé à cause de la pression ou ayant peu accès à des congés rémunérés, rentrent au travail même lorsqu'ils ne se sentent pas bien. Par conséquent, outre le manque de productivité résultant de ces journées, la fatigue physique et émotionnelle s'accroît, et les collègues risquent d'être contaminés si un virus est en cause. De quoi faire grimper l'absentéisme en flèche. Il devient alors primordial de sensibiliser les gestionnaires aux symptômes du présentéisme afin d'envoyer les employés consulter des personnes qui peuvent les aider ou de leur proposer un congé salutaire pour l'ensemble de l'entreprise.

En outre, il peut être utile et fort peu coûteux de mettre en place des ateliers de groupe ou un forum de discussion où les employés échangent entre eux sur les difficultés et sur les solutions envisagées. Il peut en ressortir des partages de service très intéressants tels que le covoiturage, les références, etc., qui resserrent les liens (ce fameux soutien social) et le sentiment d'appartenance à l'organisation. Que des avantages! Une autre solution peu coûteuse à la portée des entreprises de toutes tailles consiste à gérer un fonds de conciliation dans lequel les employés investissent (sur une base volontaire) une partie de leur salaire avant impôt. Ils peuvent profiter de ce fonds de plusieurs façons (voir la liste des pratiques à l'annexe 4 pour des suggestions).

Les enjeux de la conciliation étant passés de l'ère individuelle à l'ère sociale, il est grand temps que les entreprises soient conscientes du caractère crucial des programmes de conciliation. En plus d'avoir un effet sur la santé, sur le bien-être et sur le développement professionnel des employés, ces mesures ont un effet sur la productivité, donc la compétitivité, voire la survie de l'organisation. En prenant le virage d'une approche globale et d'un changement de culture, les entreprises se doivent donc d'inclure les éléments de conciliation dans leur planification stratégique, notamment dans l'optique de devenir un employeur de choix. À quand la création de postes tels que directeur du bien-être au travail ou conseiller en conciliation travail-vie personnelle, postes existant déjà aux États-Unis ? Enfin, je suis d'avis que l'État pourrait faciliter les choses en mettant en place des incitatifs fiscaux, mais ça c'est un autre chapitre que je laisse le soin à d'autres d'écrire.

Conclusion

L'approche idéale pour la réalisation des stratégies de conciliation consiste à considérer la situation avec le regard d'un gestionnaire de projet. En effet, la personne responsable d'un projet (dans ce cas-ci, le projet « Qualité de vie » ou appelez-le comme vous le voulez) doit d'abord déterminer l'objectif du projet, l'échéancier, les sous-étapes, les ressources disponibles (entourage, temps, argent, talents, etc.) et ajuster sa planification en cours de route de façon à atteindre son objectif avec le moins de dépassements possible. La seule différence est que, dans ce cas-ci, il s'agit d'un projet de vie qui ne se termine jamais vraiment, mais qui évolue, que l'on soit étudiant, travailleur, retraité, célibataire ou parent.

Les suggestions contenues dans ce livre ne sont pas véritablement la recette du bonheur. Par contre, elles peuvent grandement contribuer à rendre votre vie en général plus satisfaisante. Une des clés de la satisfaction est de savoir qu'on a des choix, qu'on peut avoir du contrôle sur sa vie. Et c'est vrai pour tous, même dans les familles monoparentales où les choix paraissent souvent plus restreints. Il suffit ensuite de les assumer, sinon d'en créer de nouveaux. Si les difficultés s'avèrent plus profondes, par exemple un manque d'accomplissement professionnel ou des conflits conjugaux majeurs, d'autres solutions s'imposent. Le fait de consulter un professionnel pourra vous aider à y voir plus clair. Cependant, si votre emploi ou environnement de travail et votre vie familiale sont suffisamment satisfaisants, les trucs présentés peuvent alors vous mener à un état d'équilibre et de sérénité encore plus grand, et vous pourrez profiter de la vie encore plus pleinement. En outre, pensez à l'héritage que vous laisserez à vos enfants : si vous leur dites que vous aimez votre travail autant que votre famille, ils seront motivés à bien grandir pour découvrir le plaisir dans les deux domaines. Alors que si vous ne vivez qu'en attendant le vendredi soir, ils auront des chances de rêver à la retraite à 25 ans, voire de laisser tomber leurs études, car « de toute façon ça ne mène à rien ». Les modèles négatifs reçus pourraient les amener à passer à côté de très belles choses dans la vie. C'est votre investissement dans l'avenir de l'humanité !

Votre avenir sera beau si votre présent est beau, grâce à votre joie de vivre et à votre présence aux gens qui vous entourent.

« Le bonheur est là où on le trouve,
rarement où on le cherche. »

Anonyme

Bonne conciliation !

N'hésitez pas à me contacter à **gdeschenes@gdressources.com** pour me faire part de vos commentaires, stratégies, problèmes ou succès en matière de conciliation. Il me fera toujours plaisir de vous lire.

Liste des tâches domestiques

Secteurs	Tâches	Responsables	Fréquence/ Commentaires
Entrée	• Ranger les objets qui traînent. • Épousseter. • Passer l'aspirateur ou le balai. • Nettoyer le plancher.		
Salon	• Ranger les objets qui traînent. • Épousseter. • Passer l'aspirateur ou le balai. • Nettoyer le plancher.		
Cuisine/salle à manger	• Nettoyer la cuisine après les repas (table, comptoirs, évier). • Laver la vaisselle. • Ranger la vaisselle (vider le lave-vaisselle). • Ranger les objets qui traînent. • Épousseter. • Passer l'aspirateur ou le balai. • Nettoyer le plancher. • Nettoyer la cuisinière. • Nettoyer le grille-pain. • Nettoyer le micro-ondes. • Nettoyer le réfrigérateur. • Changer le sac de la poubelle.		
Chambres à coucher	• Faire le lit. • Ranger les vêtements et les objets qui traînent. • Épousseter. • Passer l'aspirateur ou le balai. • Nettoyer le plancher.		

Secteurs	Tâches	Responsables	Fréquence/ Commentaires
Salle de bain	• Ranger les objets qui traînent. • Épousseter. • Laver le miroir. • Nettoyer le lavabo. • Nettoyer le comptoir. • Nettoyer le bain. • Nettoyer la douche. • Nettoyer les toilettes. • Passer l'aspirateur ou le balai. • Nettoyer le plancher.		
Sous-sol	• Ranger les objets qui traînent. • Épousseter. • Passer l'aspirateur ou le balai. • Nettoyer le plancher.		
Bureau	• Ranger les objets qui traînent. • Épousseter. • Passer l'aspirateur ou le balai. • Nettoyer le plancher.		
Lavage	• Ramasser le linge sale (vêtements, serviettes). • Laver le linge sale. • Plier le linge propre. • Repasser. • Ranger le linge propre. • Nettoyer les draps. • Refaire les lits avec des draps propres. • Aller porter et chercher les vêtements chez le nettoyeur.		
Entretien général	• Arroser les plantes. • Sortir les poubelles. • Sortir le recyclage. • S'occuper du compostage. • S'occuper de la peinture. • S'occuper de la menuiserie. • S'occuper des réparations mineures. • Nettoyer les fenêtres. • Ranger le garage. • Changer les ampoules, les piles des avertisseurs de fumée. • Entretenir les équipements spécialisés (par exemple, aspirateur central, échangeur d'air, climatiseur, thermopompe, distributrice d'eau de source, etc.).		

Secteurs	Tâches	Responsables	Fréquence/ Commentaires
	• Ramoner la cheminée. • Installer les décorations saisonnières (par exemple, lumières de Noël). • Ranger les décorations saisonnières.		
Nourriture	• Planifier les repas. • Faire la liste d'épicerie. • Acheter la nourriture. • Préparer les repas. • Préparer les lunchs. • Dresser la table. • Vider la table.		
Enfants	• Soins (bain, brossage des cheveux, coupe des ongles, médicaments, etc.). • Discipline (respect des règles familiales). • Routine du lever (déjeuner, vêtements, etc.). • Transport pour l'école, la garderie (aller). • Transport pour l'école, la garderie (retour). • Transport pour les sports et loisirs. • Aide aux devoirs. • Routine du coucher (brosse à dents, histoire, etc.). • Rendez-vous (médecin, dentiste, coiffeur, etc.). • Rencontres avec les professeurs. • Activités spéciales (par exemple, spectacle, tournoi). • Planification et achats (par exemple, vêtements, souliers, effets scolaires, etc.). • Fêtes et anniversaires (invitations, cadeaux, etc.). • Service de garde (réservation, paiement, etc.). • Inscriptions (activités). • Se lever la nuit. • S'absenter du travail.		
Animaux domestiques	• Nourriture. • Promenade. • Nettoyage de l'habitat (par exemple, cage, litière, aquarium). • Domptage. • Toilettage. • Vétérinaire (vaccins, médicaments, etc.). • Planification du gardiennage.		

Secteurs	Tâches	Responsables	Fréquence/ Commentaires
Finances	• Établir le budget. • Faire les comptes et régler les factures. • Établir les contrats (par exemple, hypothèque, assurances, etc.). • Produire les déclarations de revenus.		
Entretien extérieur	• Tondre le gazon. • Enlever les mauvaises herbes. • Planter fleurs, plantes, légumes. • Tailler la haie, les arbustes. • Nettoyer les meubles de patio. • Entretenir la piscine (nettoyage, chlore, etc.). • Ramasser les feuilles. • Préparer les plantes pour l'hiver. • Déneiger l'entrée. • Vernir, peindre ou traiter les clôtures.		
Voiture (et autres véhicules)	• Faire le plein d'essence. • Vérifier les niveaux de liquide et les pneus. • Faire les vidanges d'huile (prendre rendez-vous et y laisser la voiture). • Changer les pneus (prendre rendez-vous et y laisser la voiture). • Laver les véhicules (intérieur et extérieur). • Entreposer les véhicules (par exemple, moto, roulotte, bateau). • Immatriculer les véhicules (par exemple, moto, roulotte, bateau).		
Divers	• Planifier les vacances. • Planifier les réceptions.		

Liste des petits plaisirs ou des petits bonheurs au quotidien

(Utiliser ses cinq sens pour profiter du moment présent
et se ressourcer tout en augmentant sa vitalité et son énergie)

Activités physiques

- Aller au gym.
- Aller glisser.
- Danser (sous toutes les formes).
- Faire de l'escalade.
- Faire une promenade en bicyclette.
- Faire du hula-hoop.
- Faire du ski, de la trottinette des neiges, de la raquette.
- Faire une promenade le matin, le midi, le soir.
- Gambader avec des enfants.
- Jouer au hockey dans la rue avec les enfants.
- Jouer une partie de golf, de tennis, de squash, de badminton, etc.
- Marcher en montagne.
- Nager ou se laisser flotter dans une piscine.
- Patiner.
- Sauter à la corde à danser.

Animaux

- Caresser un chat ou tout autre animal de compagnie.
- Donner des noix à des écureuils ou des miettes de pain aux oiseaux.
- Flâner dans une animalerie ou un zoo.
- Installer une mangeoire à oiseaux.
- Nourrir un poisson.
- Promener un chien.

Arts

- Colorier ou dessiner des mandalas.
- Décaper de vieux meubles.
- Dessiner avec un enfant (peinture aux doigts, craies, etc.).
- Dessiner au fusain ou aux pastels.
- Faire de l'artisanat (tricot, couture, broderie, vitrail, bijoux, etc.).
- Faire de la sculpture (bois, poterie, pâte à modeler, argile, etc.).
- Faire du collimage (*scrapbooking*).
- Jouer du piano, de la guitare ou tout autre instrument de musique (ou faire semblant !).
- Peindre une toile ou un objet en céramique.

Interpersonnel

- Bercer ou caresser un bébé.
- Bruncher la fin de semaine.
- Chanter dans une chorale.
- Chatouiller un enfant ou un ami.
- Dire «Je t'aime» spontanément (par exemple, appeler quelqu'un juste pour ça).
- Dire merci à quelqu'un ou le complimenter avec sincérité.
- Donner au suivant (rendre service à quelqu'un).
- Donner un baiser.
- Donner un cadeau à une personne qui ne s'y attend pas.
- Donner un massage.

- Embrasser un enfant.
- Faire du bénévolat, une bonne action.
- Faire l'amour.
- Faire un défilé de mode (sérieux ou comique) pour ses amis ou sa famille.
- Faire une bataille d'oreillers.
- Faire une promenade à pied le soir.
- Faire un feu de joie (avec guimauves grillées).
- Faire un pique-nique.
- Jouer au ballon, à la *tag*, au *twister*, etc.
- Jouer au billard, aux quilles.
- Jouer à un jeu de société.
- Jouer dans les cheveux d'un être cher.
- Joindre un club de rire.
- Manger au restaurant.
- Offrir des fleurs sans raison.
- Organiser une fête thématique (par exemple, pyjama, rétro, mystère, latino, etc.).
- Organiser ou participer à une chasse au trésor.
- Partager une bonne bouteille de vin.
- Participer à un atelier inspirant.
- Participer à un événement pour une œuvre de charité.
- Partir en escapade.
- Préparer une surprise à quelqu'un.
- Regarder un enfant ou un être cher dormir.
- Regarder un match de hockey avec des amis.
- Rencontrer des amis.
- Rire.
- Se faire gratter le dos.
- Sentir l'odeur ou le parfum d'un être cher.
- S'amuser avec des enfants dans un parc.
- Souper entre amis.

- Souper en couple à la maison avec vêtements chics, parfum, fleurs, etc.
- Suivre des cours de cuisine, de pâtisserie, de sommellerie, etc.
- Surprendre son conjoint ou un ami au travail pour le lunch.

Nature

- Admirer la rosée dans un jardin.
- Admirer les couleurs et la lumière d'automne.
- Aller à la chasse aux papillons.
- Aller à la pêche.
- Contempler des flocons de neige givrés sur une fenêtre.
- Contempler un arc-en-ciel.
- Contempler une chute d'eau, une fontaine ou un plan d'eau (lac, mer, etc.).
- Croquer dans une pomme ou des fraises que l'on vient de cueillir.
- Écouter la neige crisser sous ses pas.
- Écouter la pluie.
- Écouter le chant des oiseaux.
- Écouter le vent dans les feuilles.
- Étendre du linge sur la corde à linge (par exemple, des draps).
- Faire des anges dans la neige.
- Faire un bonhomme de neige.
- Faire un safari-photo (n'importe où).
- Faire un tour de bateau, de moto, d'hélicoptère, de montgolfière.
- Jardiner (planter des fleurs, des légumes, etc., et en prendre soin).
- Jouer dans le sable.
- Jouer dans les feuilles d'automne.
- Marcher au bord de la mer.
- Marcher sous la pluie.
- Observer les étoiles ou la pleine lune.
- Observer les nuages (texture, couleur, formes).
- Observer les oiseaux.

- Observer un lever ou un coucher de soleil.
- Poser son regard sur l'horizon.
- Profiter d'un rayon de soleil entre les nuages.
- Respirer l'odeur des sapins de Noël.
- Sauter dans une flaque d'eau.
- Se laisser bercer par le bruit d'un ruisseau.
- Sentir les lilas, la lavande ou toute autre fleur.
- Sentir le vent dans ses cheveux ou sur ses joues.
- Se promener dans le bois.

Solo (ou non, c'est selon...)

- Acheter un bouquet de fleurs.
- Admirer les décorations de Noël dans un quartier, les vitrines ou les rues commerciales.
- Admirer un feu d'artifice.
- Aller au cinéma, au ciné-parc.
- Aller dans un festival, un carnaval populaire.
- Aller magasiner, faire du lèche-vitrine.
- Aller se recueillir dans une église, un temple.
- Aller voir une exposition, un musée, un lieu historique.
- Apprécier le silence.
- Assister à un bon spectacle ou à un match sportif.
- Bâiller profondément.
- Barboter dans l'eau (bain, piscine, lac, etc., surtout à minuit).
- Boire une boisson réconfortante (chocolat chaud, thé, tisane, bouillon, lait chaud avec miel ou cannelle, etc.).
- Boire un frappé aux fruits.
- Bouquiner dans une librairie ou une bibliothèque.
- Bricoler (menuiserie, décapage de meubles, etc.).
- Cajoler un toutou (par exemple, un ourson en peluche).
- Changer de coupe ou de couleur de cheveux.
- Chanter à tue-tête (dans la douche, dans l'auto, etc.).

- Commander des sushis.
- Coucher ailleurs que chez soi ou faire du camping dans son salon, sa cour.
- Crier sa joie.
- Décorer son chez-soi (Noël, Halloween, Pâques, etc.).
- Déjeuner au lit.
- Déguster un bon chocolat noir, une pâtisserie, une crème glacée, etc.
- Déguster un porto ou un bon vin.
- Dresser une belle table avec ou sans raison (centre de table, bougies, fleurs, etc.).
- Écouter de la musique (enjouée, d'ambiance ou de relaxation).
- Écouter les paroles d'une belle chanson.
- Écouter une comédie.
- Écouter un film dans une langue étrangère.
- Écrire avec un stylo à plume.
- Écrire de la poésie.
- Écrire une lettre ou une carte à un ami, à un enfant.
- Écrire son journal personnel.
- Enfiler une robe de chambre réchauffée dans la sécheuse.
- Essayer des lunettes ou des chapeaux dans une boutique.
- Essayer une nouvelle recette.
- Essayer une voiture convoitée.
- Faire de la visualisation (s'imaginer en pleine nature, etc.).
- Faire des grimaces (devant le miroir).
- Faire des sudokus ou autres jeux dans les journaux.
- Faire du ménage (par exemple, dans la voiture, les garde-robes, les tiroirs, etc.).
- Faire du pain maison, de la soupe ou autre plat réconfortant maison.
- Faire du yoga, du Qi Gong.
- Faire la tournée des antiquaires, des galeries d'art.

- Faire un casse-tête.
- Faire un courant d'air rafraîchissant.
- Faire une petite folie.
- Faire un pique-nique dans son salon.
- Faire voler un cerf-volant.
- Feuilleter un album de photos.
- Feuilleter un livre de recettes.
- Flâner chez un disquaire, dans une épicerie fine, etc.
- Fredonner ou siffler une chanson qu'on aime.
- Humer l'odeur du café le matin, de la tarte aux pommes chaude, etc.
- Humer toute autre odeur qui rappelle de bons souvenirs (voyages, vacances, etc.).
- Inventer une histoire dont on est le héros.
- Jardiner, se mettre les mains dans la terre, parler à ses fleurs ou plantes.
- Jongler, jouer à la balle aki.
- Jouer à un jeu vidéo.
- Jouer le touriste dans sa ville ou à proximité.
- Laver sa voiture (en maillot de bain).
- Lire à la lueur d'une bougie.
- Lire des blagues, de la poésie, des mots d'enfant.
- Lire un magazine, une bande dessinée ou un bon livre.
- Louer une voiture décapotable pour une petite escapade ou une fin de semaine.
- Marcher pieds nus.
- Manger du maïs soufflé (en plein après-midi).
- Méditer.
- Mettre de beaux dessous ou de beaux vêtements sans raison.
- Penser à de belles choses.
- Porter son parfum préféré.

- Prendre un bain moussant, dans une baignoire à remous ou non, avec des bougies.
- Prendre une douche avec un gel odorant.
- Prendre un verre sur une terrasse.
- Préparer une fête.
- Préparer un repas ou une soirée thématique (international, fête, objet, personnage, couleur, etc.).
- Préparer un voyage.
- Prier.
- Réciter un mantra.
- Redécorer une pièce.
- Regarder par la fenêtre.
- Regarder un feu de foyer.
- Relire une lettre d'amour ou d'éloges.
- Repenser à un fou rire.
- Respirer profondément.
- Retomber en enfance l'espace d'un instant.
- Rêvasser ou être dans la lune, s'imaginer ailleurs.
- Ronronner de plaisir.
- S'acheter de nouveaux vêtements.
- S'acheter un coffre aux trésors (porte-bonheur, souvenirs, etc.) et l'ouvrir occasionnellement.
- S'asperger le visage d'eau fraîche ou se passer une serviette d'eau chaude sur le visage.
- S'asseoir dans un parc et observer les gens.
- Se balader sans but précis.
- Se déguiser.
- Se détendre ou se reposer dans un hamac.
- Se dire des mots doux à soi-même.
- Se laisser bercer par le son d'une fontaine d'intérieur.
- Se lever en même temps que le soleil.
- Se masturber.

- Sentir l'odeur d'une boulangerie.
- S'enduire les mains ou le corps d'un lait ou d'une crème.
- S'envelopper dans une couverture douce.
- Se promener au marché public.
- Se rappeler un moment heureux, un beau souvenir d'enfance.
- S'étirer.
- Se visualiser en train de faire quelque chose de plaisant.
- Siffler un air joyeux, un refrain publicitaire.
- S'offrir un massage (tempes, pieds, etc.).
- S'offrir un soin esthétique (maquillage, manucure, etc.).
- Souper aux bougies.
- Soupirer.
- Sourire (à soi, à un étranger).
- Utiliser sa belle vaisselle sans raison.
- Visiter un jardin.

Inspiré de Gosselin et Soulières (2003) et de Gosselin (2009).

Comme le suggère Raymonde Gosselin dans son livre *Les cactus aussi ont besoin d'eau*, il peut s'avérer pertinent, une fois que vous avez souligné les *plaisirs* qui vous *plaisent* particulièrement, de dresser votre liste en fonction du temps requis pour chaque activité. Ainsi, vous aurez toujours sous la main des façons de vous procurer une poussée de ces merveilleuses endorphines, que vous ayez 2 minutes, 30 minutes, 90 minutes, une demi-journée ou une journée juste pour vous (www.raymondegosselin.com).

Pour une autre liste d'activités plaisantes, voir le site du psychologue Bruno Fortin : www.brunofortin.com.

À propos de plaisirs, les deux recueils de Francine Ruel, *Plaisirs partagés* et *Autres plaisirs partagés*, sont des lectures tout à fait délicieuses !

Mon plan d'action

Nom: _____

Date: _____

Ma mission de vie.

_____

_____

_____

_____

_____

Mes objectifs (en ordre chronologique) avec les ressources requises et l'échéancier.

	Secteur de vie	Objectif	Échéancier	Ressources requises (qualités personnelles, contacts, argent, etc.)
1				
2				
3				
4				
5				
6				
7				
8				
9				
10				

Secteurs: travail, famille, vie sociale, vie de couple, santé, loisirs et implications communautaires, finances.

Actions à accomplir au cours de l'année qui vient pour atteindre mes objectifs prioritaires.

- _____
- _____
- _____
- _____
- _____

Ma semaine type idéale.

	Lundi	Mardi	Mercredi	Jeudi	Vendredi	Samedi	Dimanche
Matin							
Après-midi							
Soir							
Nuit							

Ma journée type idéale.

Heures	Activités
1 h	
2 h	
3 h	
4 h	
5 h	
6 h	
7 h	
8 h	
9 h	
10 h	
11 h	
12 h	

13 h	
14 h	
15 h	
16 h	
17 h	
18 h	
19 h	
20 h	
21 h	
22 h	
23 h	
24 h	

Mes principes de vie (mots clés) : valeurs et priorités à mettre de l'avant ; forces et ressources à utiliser ; attitudes, habitudes et compétences à acquérir pour faciliter la réalisation de ma mission et atteindre mes objectifs.

_____

_____

_____

_____

Les récompenses que je prévois m'offrir après avoir franchi diverses étapes ou atteint mes objectifs (voir l'annexe 2 pour de nombreuses suggestions).

_____

_____

_____

_____

Liste des pratiques organisationnelles gagnantes en matière de conciliation vie personnelle et professionnelle

Catégorie	Pratique	Description	Avantages	Désavantages
Horaire à temps plein.	Horaires flexibles.	L'employé choisit son heure d'arrivée et de départ ainsi que la durée de son heure de dîner (à l'intérieur de certaines balises plus ou moins souples). Souvent associé aux banques d'heures pour reprise de temps. Peut être jumelé aux horaires rotatifs pour les entreprises qui offrent des services étendus (sur 16 ou 24 heures).	• Si fixe : meilleur service à la clientèle. • Respecte le rythme biologique naturel, donc meilleure productivité (en moyenne de 15 à 20 %, donc un employé « gratuit » sur 7). • Diminue le temps de transport et le stress qui y est associé (évitant l'heure de pointe). • Établi comme la mesure la plus efficace pour favoriser la conciliation (donc l'attraction et la rétention) selon l'étude de St-Onge auprès de 225 répondants de l'ORHRI (2000).	• Si variable : plus difficile pour les collègues ou les clients (planification des disponibilités, boîtes vocales). • Difficile à implanter dans les secteurs de production (par exemple, chaîne de montage).

195

Catégorie	Pratique	Description	Avantages	Désavantages
	Semaine comprimée en trois ou quatre jours.	L'employé travaille le même nombre d'heures que ses collègues, mais il fait de plus longues journées sur moins de cinq jours (comme 4 jours de 10 heures ou 3 jours de 12 heures, ou encore 9 jours de travail sur 2 semaines). (Dans la version 4,5 jours, souvent présentée comme un horaire d'été avec congé le vendredi après-midi, l'employé doit faire de 45 à 60 minutes de plus de travail par jour.)	• Diminue l'absentéisme pour des raisons personnelles. • L'allongement des journées peut se répartir sur l'heure d'arrivée et l'heure de départ. • Prolonge le temps personnel sans impact sur le revenu (voire économie d'essence si moins de cinq jours).	• Peut provoquer une accumulation de fatigue (et augmenter les risques d'accident de travail), haut taux d'abandon. • Nécessite un soin particulier à la sécurisation des lieux tôt le matin et tard le soir. • Peut requérir des arrangements spéciaux en matière de services de garde.
Horaire à temps partiel.	Moins de 32 heures par semaine.	L'employé peut travailler entre une et cinq journées par semaine (comme 1 journée de 8 heures ou 5 journées de 4 heures). Si appliqué sur base temporaire, c'est comme un congé sans solde de x jours par semaine pour une durée de y semaines.	• Idéal pour les retours de congé parental, les retours progressifs d'invalidité, le retour aux études (par exemple, un MBA) ou la préparation à la retraite. • Diminue l'absentéisme pour des raisons personnelles, l'épuisement professionnel et les accidents de travail. • Peut contribuer au développement de la relève (par exemple, un gestionnaire qui travaille trois ou quatre jours par semaine se fait remplacer par ses employés compétents et intéressés les autres journées).	• Les avantages sociaux (tels que les congés et les vacances) sont habituellement diminués au prorata des heures travaillées. • L'employeur peut retirer l'admissibilité au régime d'assurances collectives ou au régime de retraite. • Perte de l'admissibilité à l'assurance emploi. • Attention à la tendance à faire un surplus de travail non rémunéré.

Catégorie	Pratique	Description	Avantages	Désavantages
			• Permet d'embaucher ou de retenir les meilleures ressources (expérimentées ou détenant une compétence particulière) à moindre coût (intéressant pour les PME et peut permettre d'éviter des suppressions de postes dans les périodes difficiles). • Les coûts de réorganisation du travail peuvent être subventionnés par Emploi Québec.	
	Emploi partagé.	Deux employés occupent le même poste et se partagent les responsabilités dans des proportions et selon un horaire qui leur convient (par exemple, matin/après-midi, 3 jours/2 jours, chacun une semaine, chacun 6 mois, etc.).	• Idéal pour la préparation à la retraite si cela est jumelé à la formation de la relève (transfert de compétences et de connaissances). • Un employé peut compenser pour l'autre au besoin pour assurer un service continu. • Peut représenter une valeur ajoutée si les deux employés ont des forces complémentaires.	• Exige une excellente communication entre les deux employés. • Peut perturber les clients qui ont besoin de stabilité dans la prestation de service. • Plus difficile pour le supérieur d'évaluer la performance individuelle.
Avantages sociaux.	Congés pour des raisons personnelles.	Avec ou sans solde, banque de journées de congé utilisable sur une base annuelle pour des motifs n'ayant pas besoin d'être justifiés (autres que maladie de l'employé, mariage, décès, etc.). Par exemple, maladie d'un proche, examen, spectacle d'un	• Évite le présentéisme. • Augmente l'engagement envers l'entreprise.	• Peut nécessiter un réaménagement des tâches.

197

Catégorie	Pratique	Description	Avantages	Désavantages
		enfant, activité bénévole, déménagement, etc. Encore plus bénéfique (gagnant-gagnant) si ces congés peuvent être fractionnés en heures et non seulement en journées.		
	Vacances.	Période de repos payée par l'employeur. Débuter par au moins trois semaines par année, considérer l'expérience acquise à l'extérieur de l'entreprise pour octroyer les semaines supplémentaires.	• Permet à l'employé d'être plus performant à son retour. • Permet à un employé remplaçant de connaître la tâche, donc l'entreprise est moins vulnérable.	• Peut nécessiter un réaménagement des tâches.
	Congé sans solde ou différé (ou congé sabbatique payé si la raison est significative pour la communauté).	Arrêt de travail volontaire de longue durée, non rémunéré ou payé à l'avance par une réduction de salaire de l'employé (par exemple, pour un congé de trois mois, verser 75 % du salaire pendant les neuf mois précédents et les trois mois de congé, soit l'équivalent de neuf mois à 100 % du salaire mais réparti sur 12 mois).	• Augmente la satisfaction des employés car on tient compte de leurs besoins personnels (famille, santé, éducation, loisirs, etc.). • La formule peut être réduite pour se transformer en « achat de semaines de vacances » par la réduction proportionnelle de la paie répartie sur une certaine période. • Habituellement, les avantages sociaux sont maintenus pendant la période de congé. • Permet à un employé remplaçant de connaître la tâche, donc l'entreprise est moins vulnérable.	• Peut nécessiter le remplacement de l'employé.
	Compléments de salaire à la naissance ou à l'adoption (congés parentaux).	Octroi d'un montant pour bonifier le paiement versé par l'assurance parentale, de façon à atteindre ou à se rapprocher du salaire complet de l'employé.	• Peut motiver l'employé à prolonger son congé parental. Il est généralement plus en forme à son retour et il est plus facile de trouver un remplaçant.	• Représente un investissement pour l'employeur. • Nécessite généralement le remplacement de l'employé.

Catégorie	Pratique	Description	Avantages	Désavantages
Autres.	Télétravail (ou bureau flexible lorsque c'est plus occasionnel).	L'employé travaille à son domicile ou à un autre endroit, généralement plus près de chez lui. En général, le télétravail implique l'utilisation de moyens de télécommunication tels que le télécopieur, Internet, le téléphone, et nécessite une bonne utilisation de l'informatique.	• Idéal pour les périodes de production qui exigent concentration ou créativité et pour le travail dont on peut mesurer concrètement les résultats. • Respecte le rythme biologique naturel, donc une meilleure productivité (de 10 à 30 % selon le CEFRIO). • Formule d'accommodement idéale pour les personnes handicapées ou ayant des problèmes de santé récurrents ou ponctuels (convalescence à la suite d'une chirurgie, d'un accident, etc.). • Utile pour dépanner un employé immobilisé à la maison (par exemple, livraison, plomberie à réparer, etc.). • Permet de gagner plusieurs heures de déplacement par semaine (équivalant à presque 10 semaines par année de travail !) ainsi que les coûts et le stress qui y sont associés.	• Convient moins bien aux extravertis qui ont besoin de socialiser. • Requiert une grande discipline personnelle afin de ne pas procrastiner ou de s'adonner à des tâches personnelles (ou professionnelles en dehors des heures prévues). • Supervision plus difficile, requiert une grande confiance. • Prévoir une formation aux gestionnaires (savoir gérer à distance, bien établir les indicateurs de performance). • Nécessite des arrangements technologiques pour assurer une communication efficace avec les collègues et préserver la sécurité de l'information (peut représenter certains investissements). • Préférable pour un maximum de trois à quatre jours par semaine afin de diminuer l'isolement, de demeurer visible à la direction et de maintenir un certain sentiment d'appartenance à l'équipe.

Catégorie	Pratique	Description	Avantages	Désavantages
			• Service continu, peu importe les conditions climatiques ou sociales (par exemple, lors des tempêtes de neige, le verglas, une pandémie), donc diminution de l'absentéisme. • Contribution environnementale dans la diminution de la pollution, réduction des coûts de réfection des routes dus à une baisse de circulation. • Économie des espaces de bureau (local prêté à l'occasion) et de stationnement.	• Définir les responsabilités (comme les assurances) en cas de bris, de vol, d'accident et les modalités de remboursement (par exemple, pateterie, appels interurbains).
	Service de garde en milieu de travail.	Aide financière, garderie, gardiennage de dépannage (activités pour congés pédagogiques ou fériés), camp d'été ou services d'information pour la garde des personnes à charge (enfants ou aînés). Ces services peuvent être en partie financés par les employés.	• Excellent pour diminuer le stress et l'absentéisme pour s'occuper des enfants. • Si la garde est offerte sur les lieux du travail, les parents peuvent dîner avec leurs enfants (et la mère peut poursuivre l'allaitement plus longtemps, si désiré). • Les PME peuvent se regrouper pour offrir une garderie en partenariat ou ouvrir ses portes à la communauté.	• Représente un investissement pour l'employeur. • Peut rendre l'organisation familiale plus complexe si l'autre parent travaille dans un autre secteur géographique ou si la garderie est située loin du domicile.

Catégorie	Pratique	Description	Avantages	Désavantages
	Services de santé et mieux-être.	Accessibilité ou réduction pour un gym, activités sportives ou de détente (par exemple, cours de taï chi ou de yoga le midi), massages sur les lieux de travail), vaccination, tests de dépistage ou prélèvements, etc. (gratuits ou facilités pour les employés et les membres de leur famille). Ateliers de gestion du stress, d'arrêt du tabagisme, de nutrition, d'éducation des enfants, d'organisation, etc. Salle de repos (livres, jeux de table ou de société, billard, mini cinéma ou télé, etc.).	• Excellent pour diminuer le stress et l'absentéisme pour des raisons de santé, ce qui peut diminuer significativement le coût des assurances.	• Représente un investissement pour l'employeur.
	Services domestiques (conciergerie). L'employeur paie un taux horaire pour le concierge et l'employé paie le reste du service requis.	Nettoyeur, traiteur (en collaboration avec la cafétéria ou tout autre fournisseur), photos, services automobiles (vidange d'huile, changement de pneus, lavages), déclarations de revenus, courrier, achats et courses diverses, coupes de cheveux, dentiste, agence de voyages, livraison d'ordonnances médicales, guichet automatique, etc.	• Peut améliorer la productivité des employés car trois personnes sur quatre profitent de leurs heures de travail pour s'acquitter de tâches personnelles. • Peut s'offrir comme avantage social permanent ou temporairement comme moyen de reconnaissance.	
	Heures annualisées (horaire à la carte ou temps compensatoire).	Banques d'heures reprises en congé (l'employé choisit la répartition de ses heures en fonction des besoins organisationnels et personnels).	• Réduit le nombre d'heures supplémentaires à payer. • Idéal pour les secteurs où la demande est variable, c'est-à-dire où il y a des périodes de pointe saisonnières ou en fonction des contrats.	• Suivi des heures plus complexe, demande de la rigueur ou un système informatisé de gestion du temps de travail.

Catégorie	Pratique	Description	Avantages	Désavantages
		Ces heures peuvent même avoir été cumulées pendant un congé sans solde ou un congé parental lors de mandats ponctuels effectués à distance.	• Augmente la satisfaction des employés.	• Peut être plus difficile pour les gestionnaires de coordonner le travail des employés (selon la nature du travail).
	Programme d'aide aux employés (PAE).	Service de référence disponible jour et nuit qui offre un certain nombre de séances gratuites pour l'employé et sa famille (généralement de trois à huit) pour les aider à régler ou à atténuer des difficultés d'ordre psychologique, juridique ou financier.	• Diminue l'absentéisme pour des raisons personnelles et peut contribuer à réduire les coûts en invalidité long terme. • Libère les responsables des ressources humaines du rôle de psychologue.	• Représente un investissement pour l'employeur, mais les honoraires peuvent être partagés entre l'employé et l'employeur.
	Cheminement de carrière adapté.	Respect des contraintes personnelles de l'employé dans l'organisation du travail et l'octroi des responsabilités, sans toutefois le mettre à l'écart des promotions potentielles.	• Augmente l'engagement envers l'entreprise.	
	Soutien à la famille lors d'une relocalisation.	Service de référence pour aider le conjoint à se trouver un emploi dans la nouvelle région, ainsi qu'à orienter la famille pour l'intégration des enfants (garderie, école, services à la communauté).	• Diminue le stress associé à l'expatriation et facilite l'intégration et le succès de la relocalisation.	• Représente un investissement pour l'employeur.

• Avec le projet de loi 68 entré en vigueur le 20 juin 2008 (ministère de l'Emploi et de la Solidarité sociale et la Régie des rentes du Québec), les employés âgés de 55 à 64 ans pourront, après entente avec leur employeur, travailler à temps plein ou à temps partiel et recevoir jusqu'à 60 % de leurs prestations de retraite.

• Dans la plupart des cas, les ententes se font avec le gestionnaire et le service des ressources humaines, en tenant compte de l'impact sur la qualité du service et sur les collègues de travail (cela ne doit pas augmenter leur charge de travail).

• Certaines entreprises (par exemple, Novotel Montréal) vont même jusqu'à laisser les employés décider de leur horaire, de leur nombre d'heures de travail hebdomadaire, et parfois même de leurs tâches s'ils ont plusieurs compétences (comme le service aux tables plus la comptabilité). Le travail d'équipe fait économiser énormément étant donné l'absence de nécessité de postes de gestion : tout le monde est responsable de la qualité !

Exemple d'entente écrite pour proposition d'arrangements de conciliation

Date :

À : Nom du gestionnaire
Titre

De : Votre nom
Titre, service ou lieu de travail

OBJET : Proposition d'arrangements flexibles

Dans l'optique de fournir à l'entreprise le meilleur de mes capacités, voici une proposition d'arrangements du temps de travail qui m'apparaît avantageuse pour les parties impliquées.

Proposition d'horaire

- Lundi et jeudi : de 8 h à 16 h.
- Mercredi : télétravail.
- Mardi et vendredi : de 7 h 30 à 15 h 30.

J'inclus une période d'une heure non rémunérée pour dîner, pour un total de 35 heures travaillées par semaine.

Avantages et commentaires

- Les clients appellent peu après 16 h et ceux qui le font seront rappelés très tôt le lendemain matin, ce qui est conforme à notre politique sur le service à la clientèle.

- Il n'y a aucune perte d'heures pour l'entreprise, même qu'il pourrait y avoir gain de productivité les mardis et les vendredis matin puisque je serais tranquille pour avancer mes dossiers avant que mes collègues arrivent.
- J'utiliserai ma journée de télétravail pour faire de la rédaction ou du développement et je m'engage à prendre mes messages téléphoniques et courriels au moins deux fois au cours de ces journées de façon que les clients ne s'aperçoivent pas de mon absence physique du bureau.
- Pour les deux journées où je quitterai le bureau à 15 h 30, je m'assure qu'un collègue (son nom) peut prendre la relève en cas d'urgence.

Je propose que cet horaire soit en vigueur dès le début du mois prochain, et ce, pour une période d'essai de trois mois. Au terme de cette période, nous pourrions réévaluer les impacts de cet arrangement et décider de le poursuivre, de le cesser ou de le modifier en conséquence.

Merci de votre considération pour ma demande. Si vous l'acceptez telle quelle, je vous prierais d'apposer votre signature ci-dessous et de m'en fournir une copie avant de l'acheminer au service des ressources humaines pour l'intégrer à mon dossier d'employé.

Votre signature
VOTRE NOM

Signature du gestionnaire
NOM DU GESTIONNAIRE

Date

Date

Ressources et références

Sur le plan personnel (santé physique et psychologique, gestion du temps et autres)

- Ordre des psychologues du Québec : www.ordrepsy.qc.ca ou 514 738-1881 ou 1 800 363-2644.
- Ordre professionnel des diététistes du Québec : www.opdq.org ou 514 393-3733 ou 1 888 393-8528.
- Laboratoire et clinique du sommeil de l'Hôpital du Sacré-Cœur de Montréal : 514 338-2692.
- Coaching de vie (virtuel, spirituel ou autre) : www.annieletourneau.com ou www.implosions.net.
- Outils pour la cohérence cardiaque de l'institut HeartMath : www.hearthmath.org.
- Institut de gestion du temps : www.gamonnet.com ou 450 651-7483.
- Centre de référence du Grand Montréal : www.info-reference. qc.ca ou 514 527-1375.
- *Le guide québécois des soins à domicile* (voir livre de Philippe Said, Éditions Goélette) ou www.soinsadomicile-lequipe.ca.

Sur le plan familial

- Centre de ressources familiales du Québec : 1 800 361-8453 ou www.crfq.org.
- Pour les parents québécois d'enfants handicapés : www.laccompagnateur.org.
- Centre de répit pour familles d'enfants handicapés de moins de cinq ans : www.centrephilou.org.

- Fédération des associations de familles monoparentales et recomposées du Québec : www.fafnrq.org ou 514 729-6666.
- www.commeunique.com.
- Gardiennage : www.sosgarde.ca ou www.gardiennedenfant.com.
- Nanny secours : www.nannysecours.com.
- Allô prof : www.alloprof.qc.ca.
- Système informatisé de planification pour les familles occupées ou les parents séparés : www.planiclik.com.
- Soutien aux parents : 1 866 329-4223 ou www.education-coup-de-fil.com ; 1 800 361-5085 ou www.parent-line.com.
- Coaching parental : www.drenadiapsychologue.com.

Sur le plan professionnel, conciliation

- Commission des normes du travail : www.cnt.gouv.qc.ca.
- www.familiesandwork.org (anglais seulement).
- www.wfcresources.com (anglais seulement).
- www.workingmother.com (anglais seulement).
- Pour les pères à la maison : www.slowlane.com (anglais seulement).
- Jeune chambre de commerce de Montréal.
- www.consilia.ca.
- Sites du gouverneur fédéral (par exemple, le télétravail).
- www.famillesdaujourd'hui.com.
- koeva.ca.
- www.gdressources.com.

Remerciements

J'ai commencé à écrire ce livre à l'approche de l'année 2002, alors que mes études n'étaient pas terminées et que j'étais en appartement avec mon futur époux. L'idée de cet ouvrage avait germé quelques années plus tôt, comme un rêve néanmoins accessible. Cependant, faute de temps étant donné d'autres priorités : nouvel emploi, soutenance de thèse, achat de maison et déménagement, arrivée d'un premier bébé, plus de trois ans se sont écoulées sans que soit modifiée l'amorce initiale, même d'une virgule ! En 2005, le projet est revenu hanter de plus belle mes pensées, alors que les projets personnels et professionnels me ramenaient sans cesse à la recherche d'outils pour mieux équilibrer sa vie. C'est donc le résultat de plus de dix années de travail, profitant des moments de sieste des enfants et de leur passage en garderie en milieu familial.

Je tiens à remercier de tout cœur les gens qui m'ont appuyée dans ce projet. D'abord, Charles, mon conjoint et compagnon de tous les instants, qui ne cesse de me ramener aux bons côtés de la vie. Ensuite, mes enfants, Laurie-Anne et Élodie, qui m'aident quotidiennement à vivre davantage le moment présent et qui ont entretenu ma motivation à écrire ce livre pour elles et pour les parents de leurs amis. Les membres de ma famille – mes parents Suzanne et Bertrand, mes sœurs Brigitte et Myriam –, qui, à leur façon, m'ont toujours encouragée à me dépasser par leur amour inconditionnel et par leur soutien indéfectible dans les périodes plus difficiles. Je les remercie aussi particulièrement pour leur lecture attentive de mon manuscrit.

J'ai une pensée de reconnaissance bien spéciale pour mon ex-collègue et amie Chantal Teasdale, une excellente gestionnaire en ressources humaines, qui a gentiment accepté de m'offrir son précieux temps pour réviser une partie de ce livre entre sa carrière florissante et ses trois petits bonshommes... Merci, Chantal !

Enfin, merci aux éducatrices, notamment Laurette, Caroline, Linda et Cybèle, qui ont si bien pris soin de mes enfants pendant que je me réalisais dans ma vie professionnelle. Mes amis, qui sont une source d'inspiration pour leur capacité à avoir des vies enrichissantes avec ou sans ribambelle d'enfants. Il y en a trop pour les nommer, mais ils sauront se reconnaître. Merci à toutes les personnes qui ont traversé ma vie en m'apprenant à grandir en harmonie. Bonne conciliation !

Bibliographie

Arsenault, Claudie (2009). *La conciliation travail-famille : y trouver son compte et son bonheur*, Marieville : Les Éditeurs Réunis, 207 p.

Beaulieu, Danie (1998). *Une centaine de trucs simples pour améliorer les relations avec votre enfant*, Lac-Beauport : Éditions Académie Impact, 40 p.

Blain, Danièle (2001). *La détermination et la gestion des problèmes de conciliation travail-famille en milieu de travail*, Conseil de la famille et de l'enfance et ORHRI (résumé de l'enquête de St-Onge), 28 p.

Burns, David D. (1994). *Être bien dans sa peau*, Saint-Lambert : Éditions Héritage, 390 p.

Carlson, D. S. et Perrewé, P. L. (1999). « The Role of Social Support in the Stressor-Strain Relationship : An Examination of Work-Family Conflict », *Journal of Management*, 25, p. 513-540.

Chaput, Mario (2005). *Le sommeil tranquille : solutions naturelles à l'insomnie*, Outremont : Éditions Québecor, 212 p.

Childre, Doc et Martin, Howard (2005). *L'intelligence intuitive du cœur*, Outremont : Ariane Éditions, 415 p.

Cordes, C. L. et Dougherty, T. W. (1993). « A Review and Integration of Research on Job Burnout », *Academy of Management Review*, 18, p. 67-83.

Côté, Marcel (2000). *Maître de son temps : gérer ses activités prioritaires*, Montréal : Éditions Transcontinental, 206 p.

Covey, Steven R. (1989). *The 7 Habits of Highly Effective People*, New York : Fireside, 358 p.

Dae, Dr Michel (2002). *Dormir sans médicaments : les secrets du bon sommeil au naturel*, Genève : Éditions Ambre, 223 p.

d'Ansembourg, Thomas (2001). *Cessez d'être gentil, soyez vrai! Être avec les autres en restant soi-même*, Montréal : Éditions de l'Homme, 249 p.

Deschênes, Guylaine (2003). *Les dispositions personnelles des employés et leur perception de conflit emploi-famille : un modèle interactif*, Université de Montréal : thèse de doctorat, 206 p.

Drake, John D. (2001). *Ralentir : travailler moins, vivre mieux*, Montréal : Éditions Écosociété, 153 p.

Emmons, C.-A., Biernat, M., Tiedge, L. B., Lang, E. L. et Wortman, C. B. (1990). *Stress, Support, and Coping Among Women Professionals With Preschool Children*. In Eckenrode, J. et Gore, S. (Eds.). *Stress Between Work and Family*, New York : Plenium Press, p. 61-93.

Falardeau, Isabelle (2007). *Sortir de l'indécision*, Québec : Septembre Éditeur, 155 p.

Ferland, Francine (2006). *Pour parents débordés et en manque d'énergie*, Montréal : Éditions du CHU Sainte-Justine, 124 p.

Finley, Guy (2003). *Lâcher prise : la clé de la transformation intérieure*, Montréal : Éditions de l'Homme, 216 p.

Gagné, Paul André et Petitpas, Jean-Guy (2001). *Santé et équilibre*, Montréal : Éditions Nouvelles, 63 p.

Galinsky, Ellen (1999). *Ask the Children*, New York : Harper Collins, 416 p.

Genin, Vanessa (2006). *Boulot-vie privée : équilibrez vos vies*, Issy-les-Moulineaux : ESF éditeur, 126 p.

Georges, Dr Patrick M. (2006). *Gagner en efficacité*, Paris : Éditions Eyrolles, 191 p.

Goleman, Daniel (1995). *Emotional Intelligence*, New York : Bantam Books, 352 p.

Gosselin, Raymonde (2009). *Les cactus aussi ont besoin d'eau*, Outremont : Éditions Québecor, 124 p.

Gosselin, Raymonde et Soulières, André (2003). *Au secours, les pistons vont sauter! Guide pratique de l'adaptation personnelle au travail*, Outremont : Éditions Québecor, 159 p.

Gottlieb, Benjamin H., Kelloway, E. Kevin et Barham, Elizabeth (1998). *Flexible Work Arrangements : Managing the Work-Family Boundary*, Toronto : John Wiley & Sons, 187 p.

Greenberg, Cathy L. et Avigdor, Barrett S. (2010). *Mère au travail recherche bonheur*, Gatineau: Éditions du trésor caché, 250 p.

Hamet, Emmanuelle (2010). *Maman organisée*, Paris: Éditions First, 226 p.

Honoré, Carl (2005). *Éloge de la lenteur: et si vous ralentissiez?*, Paris: Marabout, 288 p.

Hunter, Sara Lavieri (2007). *S'organiser en 10 minutes: 400 trucs fabuleux pour organiser chaque pièce de votre maison – malgré votre famille!*, Varennes: Éditions AdA inc., 251 p.

Huot, Martyne (2006). *Y a-t-il un parent dans la salle?*, Montréal: Éditions Transcontinental, 174 p.

Kennedy, Danielle (2003). *Workingmoms.calm*, Mason: Thomson South-Western, 201 p.

Koch, Richard (2007). *Bien vivre le principe 80/20: moins de travail et de stress pour plus de succès et de plaisir*, Montréal: Éditions de l'Homme, 205 p.

Lambert, Nathalie (2006). *Le plaisir de bouger*, Montréal, Éditions de l'Homme, 279 p.

Lelord, François (2001). *Bien vivre avec son stress*, Paris: Éditions Village Mondial, 95 p.

Lizotte, Ken et Litwak, Barbara A. (1995). *Balancing Work and Family*, New York: American Management Association, 102 p.

Marcil-Denault, Éveline (2003). *Le travail, source de questionnements*, Outremont: Éditions Québecor, 164 p.

Michaels, Bonnie et McCarty, Elizabeth (1992). *Solving the Work/Family Puzzle*, Homewood: Business One Irwin, 288 p.

Milot, Stéphanie (2007). *Pour mieux vivre avec le stress: changez d'état d'esprit*, Montréal: Éditions Logiques, 211 p.

Pallardy, Pierre (2003). *Vaincre fatigue, stress, déprime et protéger son cœur*, Paris: Éditions Robert Laffont, 303 p.

Papalia, Diane E. et Olds, Sally Wendkos (1988). *Introduction à la psychologie*, Montréal: McGraw Hill Éditeurs, 753 p.

Pattakos, Alex (2004). *Prisoners of Our Thoughts*, San Francisco: Berrett-Koehler Publishers, 187 p.

Pépin, Richard (1999). *Stress, bien-être et productivité au travail*, Montréal : Éditions Transcontinental, 378 p.

Pimparé, Claire (2008). *Ces parents que tout enfant est en droit d'avoir*, Brossard : Éditions Un Monde Différent, 239 p.

Podell, R. N. (1988). *Docteur, pourquoi suis-je si fatiguée ?*, Montréal : Éditions Québecor, 294 p.

Reivich, Karen et Shatté, Andrew (2002). *The Resilience Factor*, New York : Broadway Books, 343 p.

Robbins, Anthony (1993). *L'éveil de votre puissance intérieure*, Montréal : Le jour, éditeur, 568 p.

Rhodewalt, F., Sansone, C., Hill, C. A., Chemers, M. M. et Wysocki, J. (1991). « Stress and Distress as a Function of Jenkins Activity Survey-Defined Type A Behavior and Control Over the Work Environment », *Basic and Applied Social Psychology*, 12, p. 211-226.

Samson, Alain (2002). *Glissez sur le temps*, Montréal : Éditions Transcontinental, 107 p.

Sapadin, Linda (2007). *Ces gens qui ont peur de tout : jouir de la vie sans crainte et sans angoisse*, Montréal : Éditions de l'Homme, 291 p.

Sekaran, U. et Hall, D. T. (1989). *Asynchronism in Dual-Career and Family Linkages. In* Arthur, M. B., Hall, D. T. et Lawrence, B. S. (Eds). *Handbook of Career Theory*, New York : Cambridge University Press, p. 159-180.

Servan-Schreiber, David (2003). *Guérir le stress, l'anxiété et la dépression sans médicaments ni psychoanalyse*, Paris : Éditions Robert Laffont, 302 p.

Tolle, Eckhart (2000). *Le pouvoir du moment présent*, Outremont : Ariane Éditions, 219 p.

Vincent, Annick (2005). *Mon cerveau a encore besoin de lunettes : le TDAH chez l'adulte*, Lac-Beauport : Éditions Académie Impact, 93 p.

Williams Yost, Cali (2004). *Work + Life : Finding the Fit That's Right for You*, New York : Riverhead Books, 378 p.

Wilson, Elizabeth (2008). *Faites le plein d'énergie*, Montréal : Éditions Transcontinental, 291 p.

Table des matières